엄마의 따스한 약손처럼,
냥이의 사랑스런 꾹꾹이처럼

꾹꾹이 건강법

임기홍 지음

누워서 하루 5분,
꾹꾹이로
꾹꾹이하세요!

이루

PRO
LO
GUE

내 몸속 숨은
건강 지도를 찾는
여정

이제 겉 마사지는 그만!
속부터 아름다워지는
쉽고 빠른 셀프 장운동

이 책은 우리 몸속 장기를 건강하게 다스리는 방법을 소개합니다. 손쉽게 장 건강을 회복할 수 있는 셀프 장운동부터 손과 발, 허리, 그리고 건강한 식습관 등 현대인의 평생 건강을 지키는 핵심적인 관리법이 담겨 있습니다.

장기는 호흡을 하고 영양소를 흡수해 에너지를 만듭니다. 또 각종 호르몬을 분비하고 면역력을 강화하는 등 다양한 생명 활동을 수행합니다. 장기가 제 기능을 발휘하지 못하면 쉽게 피로하고 질병에 대한 저항력도 떨어집니다.

꾹꾹이
건강법

하루 5분, 꾹꾹이 셀프 장운동은 활력을 잃어버린 장을 다시 젊고 건강한 장으로 되살려 여러 장기의 기능을 최적의 상태로 재설정합니다. 고양이의 사랑스러운 꾹꾹이처럼 엄마의 따스한 약손처럼 그냥 살짝 얹는 것만으로 되살아나는 몸을 체감할 수 있습니다.

운동을 하기 위해 지친 몸을 이끌고 집 밖으로 나가지 않아도 되고, 사정상 힘든 운동이나 외출이 어려운 사람도 쉽고 재미있게 실천할 수 있는 세상 쉬운 운동법입니다.

그저 배 위에 얹는 것만으로 내 몸속 잠재된 문제를 진단하는 꾹꾹이!

꾹꾹이 셀프 장운동은 '점-선-면'의 원리를 바탕으로 한 입체적인 운동법입니다. 해부학을 기반으로 증상에 따라 특정 지점에서 시작해 선을 따라 해당 장기를 자극합니다. 선이 이어지고 순환하며 면을 이루면서 이에 해당되는 부위의 장기는 순기능을 찾아갑니다. 장이 살아나면 자연스럽게 몸 전체의 건강 에너지도 확장됩니다.

팔의 무게를 이용해 효과적으로 장기를 지압하도록 고안된 꾹꾹이는 장 기능을 회복하고 굳은 장을 부드럽게 만드는 최적의 도구입니다. 꾹꾹이로 배를 눌러 보면 장의 상태를 직감할 수 있고, 시원한 부위가 있는 반면 찌릿한 통증이 느껴지는 부위도 발견하게 됩니다.

또 평소 괜찮았던 부위가 어떤 날은 묵직하고 단단하게 자극이 느껴지며 불편한 기분이 들기도 합니다.

꾹꾹이가 닿는 부위의 통증이 장시간 지속된다면 의사의 진단이 필요합니다. 바쁜 일상으로 인해 나도 모르게 간과하고 있던 잠재된 문제가 표면으로 드러났기 때문입니다. 꾹꾹이는 장 건강을 회복시켜 줌과 동시에 장에서 싹트고 있는 병증을 발견할 수 있는 단초를 제공합니다.

미리 예방하고 스스로 보살피는 건강 독립을 위해

소설 삼국지에서 독화살을 맞은 관우를 치료해 준 명의 화타의 일화는 현대인들에게 시사하는 바가 큽니다. 의술을 칭찬하는 황제에게 화타는 자기 형님들에 비하면 칭찬받을 자격이 없다며 이야기를 들려줍니다.

"제 둘째 형님은 환자가 조금 아프면 병의 조짐을 미리 알고 조절해 큰 병으로 발전하지 않게 해 줍니다. 이처럼 뛰어난 의술을 지녔지만 큰 형님에 비할 바가 못 됩니다. 제 큰 형님은 병이 생기기 전 안색만 보고도 미리 조치해 병에 걸리지 않고 무병장수할 수 있게 예방합니다. 저는 그런 실력에 못 미치기에 사

람이 큰 병에 걸려 죽느냐 사느냐 할 때 치료를 합니다. 그래서 큰 병에서 회복된 사람들은 제가 대단한 줄 알지만, 사실 병이 생기지 않도록 예방하고, 또 큰 병으로 발전하기 전에 조치하는 형님들의 능력에 비하면 제 능력은 미천합니다. 이것이 제가 형님들보다 유명해진 이유입니다."

현대인들은 준비할 틈도 없이 급격하게 백세 시대로 진입했습니다. 특히 우리나라는 다른 나라들이 부러워하는 체계적인 의료 환경과 건강보험, 영양 식단 덕분에 기대 수명이 평균 90살 이상을 바라보게 되었습니다.

빠르게 다가오는 고령화 사회를 우리는 얼마나 준비하고 있을까요? 늘어난 수명만큼 건강한 삶을 영위할 수 있다면 좋겠지만 수명만큼 늘어난 갖은 질병과 만성질환은 갈수록 우리 삶의 질을 떨어뜨리고 있습니다. 수명 연장과 더불어 어떻게 하면 더 건강하게, 더 행복한 삶을 누릴 수 있는지에 대한 물음은 점점 커지고 있습니다. 바로 여기에 그 해답이 있습니다. 평생 건강의 원천, 바로 젊은 장입니다. 꾹꾹이 셀프 장운동은 내 몸속 숨은 건강 지도를 찾는 여정입니다. 그 길에서 나를 보살필 수 있는 지식을 배우고 그동안 방기했던 자신이 얼마나 소중한 존재인지를 알아갈 것입니다.

꾹꾹이 셀프 장운동은 내 몸과 마음의 주인으로서 건강하고 역동적인 내일을 만들어 가는 가장 쉽고 빠른 방법입니다. 이를 통해 우리는 스스로 자신의 건강을 돌볼 수 있는 건강 독립을 이룰 것입

니다.

꾹꾹이 셀프 운동법이 소중한 여러분의 삶을 더 행복하고 더 건강하게 지켜 주기를 바랍니다. 아울러 생명의 근원을 공부하는 여정에서 아낌없이 가르침을 주신 여러 선생님들께 고마움을 전합니다.

2023년 1월
임기홍

꾹꾹이
건강법

CONTENTS

Day 3.

꾹꾹이 응용 하나, 손과 발 풀어 주기

Day 4

꾹꾹이 응용 둘, 맨몸 장운동

Day 5. 젊은 장이 선사하는 10가지 놀라운 효과

Day 6

평생 건강을 약속하는 절대 원칙!

EPILOGUE

Day 1.

건강과
행복의 시작,
지금 바로
셀프 장운동

아름다운 몸은 건강한 장기로부터

건강을 지키는 최선의 방법, 습관 고치기

건강은 행복한 삶을 영위하는 데 필수 요소입니다. 시중에 넘쳐 나는 수많은 건강 정보들을 보고 듣는 것만으로는 저절로 건강해지지 않습니다. 건강해지기 위해서는 스스로 몸을 움직이는 수고와 굳은 의지가 필요하지만 밤과 낮을 가리지 않고 쉼 없이 돌아가는 사회에서 이를 실행하기란 쉽지 않습니다.

바쁜 현대인들이 건강을 지키는 최선의 방법은 습관을 고치는 것입니다. 운동을 하고 몸에 유익한 음식을 먹으며 스트레스에 유연하게 대응하는 습관을 익히면 몸은 알아서 건강을 유지합니다. 하지만 이 역시 바쁜 현대인들에게는 실천하기 쉬운 일이 아닙니다.

꾹꾹이
건강법

열악한 환경이나 빈약한 의지를 탓하며 손을 놓고 있으면 건강과 행복은 내 품으로 다가오지 않습니다. 인생의 가장 중요한 가치인 이 둘을 어떻게 해야 끌어안을 수 있을까요?

여러 훌륭한 방법들이 있겠지만 몸속 보이지 않는 곳에서 인간의 모든 생명 활동을 뒷받침하고 있는 장기를 다시금 건강한 젊은 장기로 되돌리는 것으로부터 첫걸음을 내딛을 수 있습니다.

인체는 음식을 소화시켜 얻은 영양분으로 살아갑니다. 음식물을 분해하여 영양분을 효율적으로 흡수하고 찌꺼기를 체외로 잘 배설해야 합니다. 이 모든 작업은 장의 연동운동을 통해 수행됩니다. 현대인의 장은 기름진 음식, 불규칙한 생활, 스트레스 등으로 인해 연동운동 기능이 저하되어 있습니다. 무기력한 장기는 인체에 필요한 임무를 수행하지 못할 뿐 아니라 다른 장기에도 연쇄 파장을 일으켜 각종 질병과 통증을 발생시킵니다.

어떻게 하면 활발한 장을 만들 수 있을까?

장기도 근육입니다. 몸의 외부를 둘러싸고 있는 골격근계뿐 아니라 몸 내부의 장기도 근육으로 이루어져 있습니다. 피곤하거나 근육이 뭉쳤을 때 안마의자를 이용하거나 지압을 받으면 긴장됐던 근육이 풀리고 혈액의 흐름이 촉진되어 근기능이 원래 상태로 돌아갑니다.

장기도 같은 원리로 풀어 줄 수 있습니다. 오랜 기간 무관심과 외면으로 지친 장기에 활력을 불어넣기 위해서는 장기를 풀어 주어야 합니다. 왕성한 에너지를 얻은 장은 연동운동을 시작하고 신진대사가 활발해져 온몸에 기력을 충전합니다.

　지금까지 우리는 걷기나 달리기, 등산, 헬스 등 건강을 위해 주로 몸을 쓰는 운동을 해 왔습니다. 지금부터 우리는 장기 관리를 시작해야만 합니다. 장운동과 근골격 운동을 병행해야만 생명을 유지하는 신체 내부의 샘물이 마르지 않고 전신이 새롭게 태어날 수 있습니다.

누워서 5분, 세상에서 제일 편안한 시간

셀프 장운동은 도구를 사용해 보다 손쉽게 건강을 지키고 여러 통증에서 벗어나는 데 뜻을 두고 있습니다. 편안한 자세로 누워 양손으로 꾹꾹이를 쥐고 배에 얹은 채 잠시 기다리면 됩니다. 아침 기상 후 누운 상태 그대로 운동을 시작할 수도 있고, 피곤한 하루 일과를 마치고 집으로 돌아와 휴식을 취하며 할 수도 있습니다. 회사에서 일하다 그대로 의자에 앉은 채 혹은 산책길 벤치에서도 가능합니다.

　체력이 떨어져 있거나 몸을 가누기 힘든 분들도 얼마든지 쉽게 따라 할 수 있습니다. 꾹꾹이를 손에 쥘 정도의 기력만 있으면, 연령

누워서 하루 5분,
1주일이면 누구나
건강 독립을 외칠 수 있는
세상 가장 쉬운
행복한 변화

이나 성별, 지위 고하를 막론하고 누구나 배우고 바로 활용할 수 있습니다.

잘 하려고 애쓸 필요도 없습니다. 조급함을 버리고 느긋한 마음으로 장기가 스스로 풀어지는 것을 지켜보기만 하면 됩니다. 그러면 태어날 때부터 가지고 있었던 자연 치유력이 되살아나는 것을 느낄 수 있습니다.

꾹꾹이를 옆에 두고 꾸준히 장운동을 하다 보면 어느덧 면역력과 치유력이 상승하고 온몸에 활기가 넘치는 놀라움을 경험할 것입니다. 그렇다고 셀프 장운동법이 모든 병을 낳게 하고 앓던 환자를 일으켜 세우는 기적의 요법은 아닙니다. 다만 성실하고 꾸준한 셀프 장운동을 통해 자신의 몸에 관심을 기울인다면 우리의 몸은 분명히 달라질 것입니다.

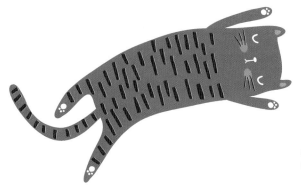

꾹꾹이
건강법

실전! 셀프 장운동과 꾹꾹이 사용법

꾹꾹이를
소개합니다!

이 책은 장운동에 대한 이론을 소개하기보다는 사진과 동영상을 보고 직접 따라 하며 몸의 변화를 체험하는 데 중점을 두고 있습니다. 셀프 장운동 방법을 사진으로 상세하게 표현하는 동시에 유튜브에 동영상을 게시하여 보다 쉽게 학습 가능하도록 꾸몄습니다.

　동영상 시청은 큐알코드를 스캔하는 방법과 유튜브 채널에 직접 접속하는 방식 두 가지가 있습니다.

　먼저 큐알코드를 스캔해 시청하는 방법입니다. 스마트폰의 큐알코드 앱을 사용하여 각 장마다 준비된 큐알코드를 스캔하면 관련 영상의 링크가 뜨고, 이를 클릭하면 유튜브 영상이 재생됩니다. (스마트폰

사용이 어려우신 분들은 가족이나 지인에게 부탁해 큐알코드 앱을 설치하고 활용해 주세요.)

　　다음으로 유튜브에 직접 접속하는 방식입니다. 유튜브에서 채널 명 '꾹꾹 셀프운동'을 검색한 후 상단에 있는 메뉴에서 '재생 목록'을 클릭합니다. 동영상은 책의 순서에 따라 정렬되어 있습니다.

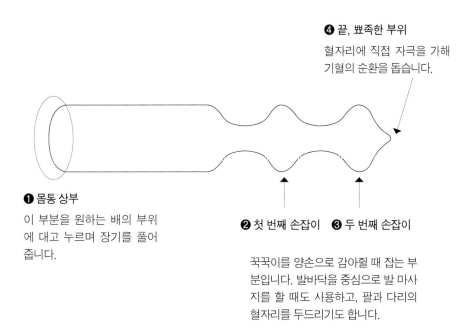

❹ 끝, 뾰족한 부위
혈자리에 직접 자극을 가해 기혈의 순환을 돕습니다.

❶ 몸통 상부
이 부분을 원하는 배의 부위에 대고 누르며 장기를 풀어 줍니다.

❷ 첫 번째 손잡이　❸ 두 번째 손잡이

꾹꾹이를 양손으로 감아쥘 때 잡는 부분입니다. 발바닥을 중심으로 발 마사지를 할 때도 사용하고, 팔과 다리의 혈자리를 두드리기도 합니다.

TIP

동영상 용량이 큽니다. wifi 환경에서 접속해 주세요. 구독 설정을 하면 더 많은 유용한 영상을 보실 수 있습니다.

꾹꾹이
건강법

❺ 꾹꾹이 잡는 법

꾹꾹이는 아래와 같이 양손을 이용해 감아쥡니다. 오른손으로 몸통을 잡고, 왼손으로
손잡이 끝부분을 잡습니다. 양손에 힘을 주어 꽉 잡으면 전신이 긴장되고 움직임이
불편해집니다. 최대한 힘을 빼고 엄지와 검지를 동그랗게 말아 부드럽게 감아쥡니다.

1단계: 오른쪽 손바닥 위에 꾹꾹이를 올려놓습니다.
2단계: 몸통의 끝부분을 감아쥡니다.
3단계: 왼쪽 손바닥을 두 번째 손잡이에 댑니다.

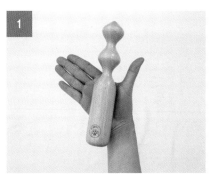

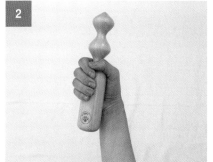

동영상을 보고 따라 하세요

꾹꾹 셀프 운동 ➜ 꾹꾹 셀프 장운동 ➜ 01 꾹꾹이를 소개합니다

4단계: 두번째 손잡이의 끝부분을 감아쥡
니다.

5단계: 양손으로 꾹꾹이의 몸통과 손잡이
를 가볍게 감아쥐고 아랫배 위에 올
려놓습니다.

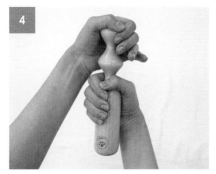

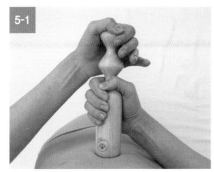

꾹꾹이
건강법

21

하루 중 언제, 어디서, 어떻게 하면 좋을까?

기상 후, 취침 전, 또는 한가한 시간 어느 때라도 가능합니다. 아침에 일어난 직후 셀프 장운동을 하면 잠들어 있던 장기를 일깨워 상쾌한 하루를 열 수 있습니다. 잠들기 직전의 셀프 장운동은 하루에 쌓인 피곤을 풀어 주고 밤새 장기가 잘 쉬도록 도와줍니다.

굳이 정해진 시간이 아니더라도 여건에 맞는 시간대를 골라 틈틈이 해도 좋습니다. 다만 식사 직후에는 위장에 음식물이 가득 차 있으니 반드시 소화가 다 된 공복에 해야 합니다.

처음 셀프 장운동을 시작할 때는 되도록 바닥에 누워서 하기를 권장합니다. 장기의 위치 파악과 힘 조절, 호흡 등에 익숙해지려면 누워서 연습하는 것이 빠르게 감각을 익히는 데 도움이 됩니다. 어느 정도 숙달이 되면 의자에 앉아서 하는 것도 가능합니다.

셀프 장운동은 코로 호흡을 합니다. 입은 지그시 다물고, 코로 부드럽고 편안하게 천천히 호흡합니다. 숨을 내쉴 때 복부의 힘을 빼고 배를 가라앉힙니다. 동시에 꾹꾹이를 잡은 손에 살짝 팔의 무게를 실으면 꾹꾹이가 배를 누르면서 장에 압력이 가해집니다. 숨을 들이쉬면서 꾹꾹이를 잡은 손에서 힘을 뺍니다. 호흡이 들어오고 나가는 리듬에 맞춰 꾹꾹이에 팔의 무게를 실어 장을 자극합니다.

숨을 내쉬면 배가 가라앉아 꾹꾹이로 장을 지압하기 쉬워집니다. 반대로 숨을 들이마시면 배가 팽팽하게 부풀어 올라 꾹꾹이로 장에

꾹꾹 셀프 운동 → 꾹꾹 셀프 장운동 → 02 셀프 장운동 첫걸음

꾹꾹이에 팔 무게를 실어
장기를 지그시 누름

꾹꾹이를 쥔 손에
힘을 풀어 누름 해제

숨을 내쉼

숨을 들이쉼

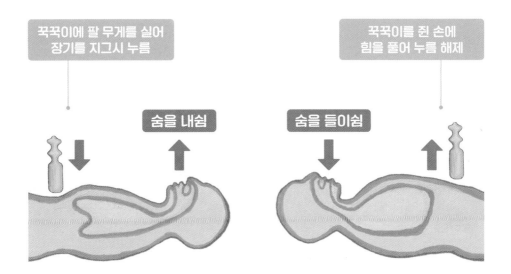

숨을 내쉴 때 꾹꾹이에 팔의 무게를 실어 살짝 당깁니다.
숨을 들이쉴 때 팔의 힘을 뺍니다.

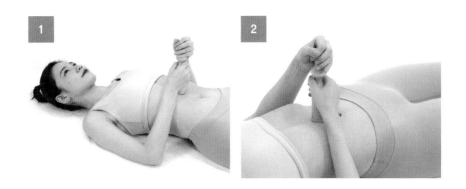

오른손으로 꾹꾹이
손잡이를 잡고,
왼손을 꾹꾹이 상단에
얹고 있기만 해도
숨쉴 때 저절로
지압이 됩니다.
굳이 애써 누르지 마세요.

압력을 가하기가 어려워집니다. 그러므로 들숨과 날숨에 맞춰 지압과 휴지기를 반복합니다.

손에는 감정 상태에 따라 상이한 형질의 에너지가 실립니다. 가족을 위해 정성스럽게 식사를 준비하는 엄마의 마음은 손을 통해 음식에 깃들어 전해집니다. 맛과 영양뿐 아니라 눈에 보이지 않는 사랑의 에너지도 곁들여집니다.

우리가 스스로를 아끼고 사랑하는 감정 에너지 역시 손을 타고 꾹꾹이를 통해 장부에 전달되어 장기를 변화시킵니다. 자신을 대수롭지 않게 여기거나 질병을 두려워하는 마음은 상극의 에너지를 전달해 장기를 해롭게 합니다. 자신을 사랑스럽고 소중한 존재로 대하면 꾹꾹이를 매개로 나의 마음가짐과 장기가 하나의 에너지장으로 연결됩니다.

얼마나 오래, 얼마나 세게 누를까?

초기에는 반드시 약한 강도로 시작합니다. 상쾌한 느낌이 드는 정도까지만 배를 눌러 줍니다. 빠른 시간 내에 장기를 풀겠다는 욕심에 무리해서 강한 압력으로 지압하지 않습니다. 딱딱하게 굳어 있는 장기를 갑자기 강하게 자극하면 오히려 탈이 날 수 있습니다. 수십 년에 걸쳐 약해진 장기는 개선되는 데도 긴 시간이 필요합니다.

조바심을 내려놓고 약한 강도에서 시작해 어르고 달래기를 꾸준히 실천합니다. 첫 일주일 정도는 반드시 약한 강도로 배를 풀어 주고 이후 장기의 상태를 감안하여 강도를 조금씩 올려 줍니다.

배에 살집이 있는 사람은 약간 깊이 눌러야 장기가 자극되지만 마른 사람은 조금만 눌러도 꾹꾹이에 맞닿는 장기가 느껴집니다. 체형에 따라 누르는 깊이를 달리해야 합니다.

처음 시작한 일주일은 셀프 장운동을 새롭게 시작했음을 장에게 알려 주는 단계로, 피부 표면에 꾹꾹이를 얹어 놓는 정도면 충분합니다. 그동안 장 건강에 신경을 쓰지 못한 탓에 우리의 복부는 여기저기 단단하게 경직되어 있습니다. 조금만 깊게 눌러도 통증이 발생하고 셀프 장운동을 마친 후 장이 아파 올 수 있습니다. 초보자가 근육을 빨리 키우겠다고 첫날부터 무리해서 아령 운동을 하면 심한 근육통이 찾아오는 것과 같은 이치입니다.

또한 자칫 잘못하면 나도 모르고 있던 잠재된 질병 부위를 강하게 압박할 수도 있으므로 초기에는 복부를 살살 어루만지듯이 꾹꾹이의 강도를 낮춰야 합니다. 약하게 눌러도 장기는 변화하기 시작합니다.

무리하게 강한 압력을 가한다고 해서 빠른 효과를 얻을 수 있는

것은 아닙니다. 낮은 강도라도 꾸준하게 셀프 장운동을 해 주면 시간이 걸리더라도 장은 건강해집니다

누르고 잠시 멈추기

호흡에 맞춰 꾹꾹이에 살짝 힘을 주어 배를 누르고, 힘을 빼면서 떼는 동작이 익숙해지면 한 단계 더 나아갑니다. 꾹꾹이로 배를 눌렀다 떼는 사이, 잠시 동작을 멈춥니다. 눌렀다 바로 떼지 말고 꾹꾹이를 누른 상태로 1~2초 정도 동작을 멈추었다가 천천히 꾹꾹이를 떼니다. 이때 꾹꾹이에서 뻗어 나온 치유의 기운은 복부 전체 깊은 곳까지 전달됩니다.

꾹꾹이를 누르고 잠깐 멈추는 짧은 시간 동안 장에서는 놀라운 변화가 일어납니다. 흐름이 막혀 있던 혈액과 에너지가 장기를 향해 몰려오고 장기의 세포 조직이 치유됩니다. 장 근육이 풀어지고 건강한 젊은 장으로 되돌아갈 준비를 합니다. 멈추지 않고 꾹꾹이를 바로 들어 올리면 장기의 깊숙한 내부까지 치유 에너지가 전달되지 않습니다.

셀프 장운동에 드는 시간은 처음에는 5분 정도가 적당합니다. 이후 장이 풀어지는 정도를 감안하여 서서히 시간을 늘리되 하루 10분

정도 내에서 마무리합니다. 한 번에 장시간 하는 것보다 짧은 시간이라도 꾸준히 자주 하는 것이 좋습니다. 장기가 풀어질 때쯤 며칠을 건너뛰면 장기는 다시 원 상태로 돌아갑니다.

반드시 기억하세요. '짧은 시간, 꾸준히, 기분 좋을 정도로.'

동영상을 보고 따라 하세요
꾹꾹 셀프 운동 ➜ 꾹꾹 셀프 장운동 ➜ 03 누르고 멈추기

Day 1.
**건강과
행복의 시작,
지금 바로
셀프 장운동**

눌렀다 바로
떼었을 때,
누른 후
잠시 멈췄다
떼었을 때
둘의 느낌을
비교해 보세요!

3

셀프 장운동 시 주의할 점

강한 압력
절대 금지!

다시 한번 강조합니다. 셀프 장운동을 처음 시작할 때는 약하게 살살 복부를 풀어 줘야 합니다. 오랫동안 통증에 시달린 사람들은 간혹 지긋지긋한 고통으로부터 빨리 벗어나고자 강하고 깊게 복부를 압박하기도 합니다. 하지만 위축되고 경직되어 있던 장기에 준비할 시간도 주지 않고 강한 압력을 가하면 또 다른 문제가 더해질 수 있습니다.

눈에 보이지 않는 배 속 장기의 상태는 누구도 확신할 수 없습니다. 소장만 하더라도 어떤 부위는 갖다 대기만 해도 고통스러운데 반해 다른 부위는 시원합니다. 위장은 숨이 턱 막힐 정도로 통증이 느껴

지는데 대장은 편안하기도 합니다.

꾹꾹이 장운동 중 예기치 않은 급성 통증이 발생하면 피부 표면만 살살 손으로 쓰다듬어 주고, 통증이 멈추지 않고 장시간 지속되면 잠재되어 있던 장의 문제가 드러난 것이므로 반드시 전문의와 상담해야 합니다.

돌발 변수에 대비해 시작은 반드시 조심스럽게 다가섭니다. 기분 좋은 상쾌함이 느껴지는 정도의 깊이와 강도로 부드럽게 다스립니다. 셀프 장운동을 하는 시간이 늘어날수록 몸과 장기에 대한 이해가 깊어지고 언제 어느 지점을 어떤 강도로 다스려야 하는지 경험치가 쌓이게 됩니다.

이런 사람이라면 셀프 장운동 금지!

장기 이상으로 배를 열어 수술을 한 경험이 있다면 완치됐다 하더라도 현재 장기의 상태를 예측하기 어렵습니다. 신장이나 간 등 장기이식을 했거나 인체 내에 인공기구, 피임기구를 삽입한 경우도 마찬가지입니다. 이 경우 혼자 판단하지 말고 의사의 자문을 구해야 합니다.

임산부도 마찬가지로 태아가 자리 잡은 복부에 깊은 자극을 주어서는 안 됩니다. 대신 손으로 아랫배를 부드럽게 쓰다듬으며 손바닥으로 배를 덮고 태아와 교감을 시도하면 좋습니다. 부드러운 엄마의 손을 통해 태아는 사랑의 에너지를 충분히 느낄 수 있습니다. 여성의 월경 기간에도 손바닥으로 마사지하면 좋습니다.

암, 결핵, 대상포진, 전염병 등의 심각한 질환을 가진 경우에도 셀프 장운동을 금지합니다. 꾹꾹이의 강한 압력이 약해진 장기에 오히려 악영향을 끼칠 수 있습니다. 손바닥으로 부드럽게 풀어 주며 편안해지는 정도로 다스려야 합니다.

자궁근종, 탈장, 궤양, 담결석, 신장결석 등 복부에 압력이 가해졌을 때 위험이 예상되는 질환을 치료하고 있는 중이거나 고혈압이나 저혈압, 혈전 등 심혈관계 병증이 있는 경우에도 주의를 요합니다. 갑작스럽게 복부에 압력이 가해지면 혈압이 급변하고 머리가 띵하며 어지러움을 느낄 수 있습니다.

복부 깊숙한 곳에서는 심장에서 뻗어 나온 큰 동맥이 하체 쪽으로 내려갑니다. 배를 누르면 쿵쿵거리는 진동이 감지되는데 이 부위를 눌렀을 때 속이 울렁거리고 구토가 나온다면 꾹꾹이 운동법을 즉시 멈추어야 합니다. 장기가 많이 약해져 있다면 자극의 강도에 따라 부위별로 심한 통증이 발생해 상당 시간 지속되기도 합니다. 평소 모르고 지나쳤던 부위의 건강 상태가 꾹꾹이로 드러나는 경우입니다. 장기가 알려 주는 신호이니 진찰을 권장합니다.

급체, 구토, 장염 등 급성 소화기계 증상이 있는 경우에도 장에 압력을 가하지 않습니다. 긁어 부스럼을 만드는 격입니다. 안정이 필요한 상황에서 장을 자극하면 염증이 증가하고 회복이 더디니 조심해야 합니다.

위에 나열된 상황에서 보듯이 꾹꾹이로 장의 문제를 다스리기 어려운 경우에는 손바닥으로 배를 어루만지고 쓰다듬으며 Day2에서 소개하는 준비운동과 정리운동 위주로 배를 풀어 줍니다.

셀프 장운동을
시작할 때 나타나는
증상들

신체가 다시 생명력을 복원하는 과정에서 발생하는 평소와 다른 여러 반응 중 긍정적 예후를 '호전 반응'이라고 부릅니다. 대표적인 호전 반응은 다음과 같습니다.

여러 차례 설사가 이어지거나 거품이 낀 흐릿한 흰색의 변이 나오기도 하며, 반대로 찐득거리는 검은색 대변이 한꺼번에 쏟아져 나오기도 합니다. 시도 때도 없이 방귀가 나와 곤혹스러워지는데 이는 대장이 건강을 찾아가는 자연스런 과정입니다

몸이 노곤해지고 잠이 쏟아지기도 하는데 긴장이 풀리거나 잠재되어 있던 독소가 빠져나갈 때 발생합니다. 혈액순환이 좋아지고 피부가 따끔따끔 가렵거나 벌겋게 발진이 올라오기도 합니다.

이런 현상들은 개인차에 따라 몇 차례 나타날 수 있고 며칠간 반

혈자리를 자극하고
근골계 마사지까지!
꾹꾹이는
장기를 살리는 외에도
다양한 용도로
활용 가능합니다.
적은 힘을 들여
적절한 강도로
마사지해 보세요.

복되기도 합니다. 이때는 신체 반응을 잘 살펴 강약을 조절하고 때론 장운동을 멈춘 후 경과를 지켜본 뒤 안정되면 손바닥 마사지로 가볍게 다시 시작해야 합니다.

호전 반응의 기준은 몸이 나아지고 있는지 나빠지고 있는지를 관찰해 판단합니다. 위 증상이 발현되더라도 몸이 가벼워지고 기운이 채워지며 배 속이 편해진다면 긍정적 예후이므로 계속해서 자신만의 셀프 장운동법을 만들어 가면 됩니다. 그러나 나타나는 증상들로 기분이 저하되고 불안해지며 몸이 더 망가지는 느낌이 든다면 부정적 예후입니다. 통증이 장시간 이어지거나 속이 계속 울렁거릴 때에도 앞에 기술한 '이런 사람이라면 셀프 장운동 금지!' 부분을 다시 읽고 참조하시기 바랍니다.

TIP

하루 종일 몸무게를 떠받치느라 혹사당한 발을 마사지할 수도 있고, 전신의 근육이나 혈자리를 문지르고 두드려 줄 수도 있습니다. 꾹꾹이는 휴식은 물론 자연치유력을 향상시키는 목적으로 무궁한 쓰임새가 있습니다.

Day 1.
**건강과
행복의 시작,
지금 바로
셀프 장운동**

부모님의
간절함을 담아,
셀프 약손

예전부터 우리의 부모님은 아이가 아플 때 아이의 배, 등, 이마를 쓰다듬으며 하루빨리 병이 낫기를 기도했습니다. 우리는 이를 약손이라 부릅니다. 약손은 특별한 기술이나 의학적인 전문지식이 없더라도 고통을 감정적으로 나누고 아픔을 조금이라도 덜어 주려는 이타심에서 나오는 본능적 행위입니다.

별다른 요령 없이 아랫배를 부드럽게 어루만지기만 해도 응어리가 사라지고 장이 풀리면서 꽉 막혔던 아랫배가 뚫리고 더불어 긴장도 해소됩니다. 배를 문지르는 것만으로도 전신이 가벼워지고 상쾌해지는 것을 느낄 수 있습니다.

이렇게 손을 활용해 통증을 제어하고 치유력을 높여 주는 기술들을 통칭 '수기요법'이라고 하는데, 추나, 카이로프랙틱chiropractic,

도수치료, 활법 등으로 불리기도 합니다. 수기요법은 오랜 시간 이론과 경험을 쌓은 전문가들이 환자의 상태를 분석해 시술하는 반면, 약손은 기술은 부족하지만 정성을 기울여 따스한 손길로 아픈 가족을 감싸는 최고의 위로라고 할 수 있습니다.

가족 중 누군가가 아프면 머뭇거리지 말고 배를 살살 문질러 주고 등을 어루만져 주세요. 약손은 사랑이라는 마음의 에너지가 전달되는 통로입니다.

사람의 손에는 신비한 힘이 있습니다. 우리는 손바닥에 감정을 담아 상대에게 좋은 에너지를 전달할 수 있습니다. 손바닥에 사랑과 정성을 담아 아픈 부위에 대고 정신을 집중하면 치유의 에너지가 전달됩니다. 꾹꾹 셀프 장운동은 본인이 스스로에게 해 주는 약손입니다. 꾹꾹이의 힘을 빌려 자신을 자애롭게 보듬는 치유의 손길입니다.

Q.

셀프 장운동, 5~6세 유치원생도 가능할까요?

꾹꾹이의 사이즈는 청소년 이상 성인 남녀에게 적합하도록 제작되었습니다. 체구가 작은 유치원생에게는 맞지 않습니다.

셀프 장운동은 원래 '엄마 손은 약손'이 기원입니다. 어린이나 아기는 사랑을 담은 엄마 손으로 충분합니다. 부모의 손이 아이의 배를 덮는

순간 일체감과 애정이 부모와 자식을 하나의 끈으로 연결합니다. 꾹꾹이가 채워 주지 못하는 이 교감만으로도 아이는 부모의 사랑 속에서 치유됩니다.

TIP

셀프 장운동은 장 건강을 되찾는 여정을 통해 자신을 돌아보는 계기를 마련합니다. 행복한 삶을 영위하는 데 건강이 얼마나 소중한 자산인지, 스스로 건강을 허물어뜨린 원인은 무엇인지, 또 그것을 일으켜 세우고 치유하는 방법은 무엇인지 깨닫게 합니다. 힘든 하루하루 지치고 고단한 자신에게 정성을 담은 약손을 선물해 주세요.

꾹꾹이 운동법
한눈에 보기!
Q&A 모음

Q. 꾹꾹이로 배를 눌렀더니 토할 것 같이 울렁거리고 어지러워요. 제가 잘못된 방법으로 하고 있는 건 아닌지, 꾹꾹이를 하면 안 되는 몸 상태인 건지 걱정되는데 꾹꾹이 운동법을 지속해도 될까요?

A. 누구나 약속 시간에 늦어 급하게 뛰어 본 경험이 있을 겁니다. 도착한 후에도 숨은 헐떡이고 진정이 안 되는 속은 토할 것처럼 메슥거리고 어지럽기까지 하죠.
장기도 똑같습니다. 갑자기 장기를 강하게 누르며 압박하면 준비운동 없이 격렬한 달리기를 한 것과 같은 증상이 발생합니다. 셀

프 장운동도 장기가 적응하는 기간이 필요합니다. 처음에는 반드시 낮은 강도로 시작해 주세요. 꾹꾹이를 배에 얹기만 한다는 느낌으로 시작하면 충분합니다. 셀프 장운동은 신체의 고통을 참아내며 정신을 단련하는 극기 운동이 아닙니다. 약손을 하는 마음가짐으로 조심스럽고 소중하게 내 몸을 대해 주세요.

Q. 처음 셀프 장운동을 시작하니 오전부터 졸음이 쏟아지고, 오후에도 무척 졸려서 근무시간에 매우 힘들었습니다. 이렇게 졸린 것도 셀프 장운동의 영향인가요?

A. 일종의 호전 반응입니다. 장운동이 활발해지면 신체의 혈액순환이 개선되고 내분비계 기능이 정상화되면서 막힌 부분이 뚫리고 뭉쳤던 지점은 풀리게 됩니다. 몸 전체가 이완되어 긴장이 풀리고 마음이 안정되면서 잠이 몰려오게 되는 거죠. 처음 운동을 시작할 때 일시적으로 나타나는 현상이므로 걱정하지 않으셔도 됩니다.

꾹꾹이
건강법

Q.   꾹꾹이로 장운동을 할 때 누르는 강도를 세게
하면 장기의 연동운동이 더 활발해지고 더 빨리 건강을
회복할 수 있지 않을까요?

A.   아무리 탄성 있는 고무줄이라도 한계점 이상으로 세게
잡아당기면 끊어집니다. 풍선도 바람을 너무 많이 불어넣으면 버
티지 못하고 터져 버리죠. 적정 수준을 넘어선 외부 자극은 우리
의 신체에 반드시 물리적 손상을 입히게 됩니다.
장기의 연동운동을 활성화하기 위한 자극의 세기는 생각보다 강
하지 않습니다. 꾹꾹이에 얹어 놓은 손과 팔의 무게 정도 자극만
으로 장기는 되살아납니다. 필요 이상으로 강하게 누르면 오히려
장기를 손상시킬 수 있습니다. 잊지 마세요. '적정한 압력으로 꾸
준히, 매일매일.' 가장 중요한 꾹꾹이 제1규칙입니다.

Q.   처음으로 꾹꾹이 장운동을 10분 정도 했는데,
의욕이 앞서 좀 세게 누른 것 같아요. 이후 가래가 나오
고 몇 차례 심하게 설사를 했습니다. 다행히 배 속은 그
전보다 개운해지긴 했는데 문제가 있는 건 아닐까요?

A. 호전 반응 중에서도 심한 경우입니다. 복부에 갑작스럽게 강한 압력이 가해지면서 미처 흡수되지 못한 수분을 포함한 변이 설사로 밀려 나오고, 목으로 넘어가던 타액이 역류하게 된 상황입니다. 강한 자극을 수용할 만큼 장기와 복부의 근육들이 풀리지 않은 상태에서 그 압력이 고스란히 묽은 변과 체액의 분출을 초래한 것입니다. 서서히 나타나야 할 반응을 일시에 겪은 셈이죠.

다시 한번 강조하지만 셀프 장운동을 시작한 초기에는 압력 조절이 쉽지 않으니 나도 모르게 힘을 주어 꾹꾹이를 누르지 않도록 유의해야 합니다. 급격한 반응은 또 다른 부작용을 초래할 수도 있기 때문입니다. 반드시 손을 얹는다는 정도의 느낌으로 진행해 주세요.

꾹꾹이
건강법

43

Q. 왼쪽 하복부를 눌렀더니 당기는 듯한 통증이 느껴지는데 반대쪽인 오른쪽 하복부에서도 동시에 같은 통증이 느껴집니다. 누르지 않은 부위에서 느껴지는 통증은 왜 그런 건가요?

A. 두뇌에서 척추를 타고 내려온 신경은 배 속의 장기로 거미줄처럼 이어집니다. 특정 지점을 누르더라도 신경이 연결된 다른 지점에서 비슷한 통증을 느끼기도 하죠. 허리나 목의 디스크가 손상되거나 신경줄기의 흐름이 약해지면 연관된 다른 부위에서 방사통이 느껴지는 원리와 같습니다. 꾹꾹이 운동을 꾸준히 해 주면 해당 부위가 풀리며 통증이 사라지면서 연관된 지점의 통증도 해소됩니다.

Q. 꾹꾹이로 눌러 보면 배 안 여기저기에 딱딱한 덩어리 같은 게 느껴져요. 통증도 좀 있고 거기서 맥박이 뛰는 것도 느껴져요. 괜찮은 건가요?

A.   안 하던 운동을 갑자기 시작하거나 몸의 중심축이 틀어지면 특정 근육에 통증이 발생합니다. 장기도 문제가 생기면 연동운동이 저하되고 굳어지면서 눌렀을 때 통증이 느껴집니다. 단단하게 뭉친 덩어리 같은 게 한 지점에만 있을 수도 있고 개인에 따라 두 지점 이상일 수도 있는데 책에서 '매듭점'이라고 부르는 곳을 꾹꾹이로 꾸준히 풀어 주면 사라집니다.

심장에서 신체 각 부분으로 피를 보내는 혈관인 동맥은 복부를 지나 다리로 내려갑니다. 장기를 눌렀을 때 심장과 이 혈관의 박동이 꾹꾹이로 전달되어 감지되기도 합니다. 심박수를 세기 위해 손목에 손가락을 대면 박동이 느껴지는 것과 같은 원리이므로 걱정하지 않아도 됩니다.

꾹꾹이
건강법

Day 2.

건강 독립의
지름길,
하루 5분
셀프 장운동

셀프 장운동 시작 전, 준비운동

한강변이나 도로를 걷다 보면 쏜살같이 내달리는 자전거 동호인들과 심심치 않게 마주칩니다. 툭 불거진 근육질 종아리로 페달을 밟으며 날렵하게 질주하는 모습에 감탄사가 나옵니다.

자전거에 입문하면 처음엔 가까운 거리로 기초 체력을 다지고 점차 먼 곳까지 이동 범위를 넓히며 점증적이고 꾸준한 훈련을 거듭합니다. 자전거를 즐기기 위해서는 단순하고 반복적인 훈련과 이를 감내하는 인내력이 필요합니다. 셀프 장운동도 마찬가지입니다. 아무리 쉬운 건강 관리법일지라도 매일매일 꾸준히 잠깐이라도 꾹꾹이를 손에 쥐고 복부 여기저기를 누르며 상태를 점검하는 습관을 들여야 합니다. 힘들고 귀찮은 날도 있겠지만 의지를 가지고 가능한 자주 풀어 주어야 합니다.

꾹꾹이
건강법

원하는 행동을 습관으로 만들기 위해서는 최소 30일이 필요합니다. 가까운 곳에 꾹꾹이를 두고 수시로 아픈 곳, 시원한 곳 가리지 않고 장운동을 하면 자신만의 특화된 운동법을 발견할 수 있습니다.

어떤 운동이든 본 운동에 앞서 준비운동이 필요합니다. 셀프 장운동도 장기를 깨워 본격적인 장운동을 하겠다고 몸에 알려 주는 단계가 필요합니다. 손을 사용해 약한 강도로 가볍게 복부를 문지르고 풀어 주면 장기는 준비를 마치고 무리 없이 꾹꾹이를 받아들이게 됩니다.

손바닥으로
복부 문지르기

배꼽을 중심으로 시계방향을 따라 원을 그리며 복부를 문지릅니다. 배꼽에서 출발해 둥글게 시계 방향으로 몇 바퀴를 돌며 원을 넓혀 가다 보면 부드럽게 이동하는 손을 따라 배꼽 주변의 소장, 위장, 치골의 뒤쪽에 위치한 방광, 좌우 옆구리 대장, 간, 비장, 신장이 순차적으로 깨어나기 시작합니다.

호흡을 가라앉히고 손의 움직임을 따라 의식을 집중합니다. 이때 손을 대고 어떤 생각을 하는지가 중요합니다. 통증으로 인한 짜증과 두려움은 부정적인 에너지를 증폭시켜 상황을 악화시킵니다. 병을 키운 자신을 원망하고 근심할수록 장기에는 절망의 에너지가 전달됩니다.

반대로 손에 애정을 담아 배를 만지면 위로를 얻은 우리의 장기는 기능을 회복합니다. 손을 얹고 나지막이 그동안 수고 많았고 이제는 좀 쉬어도 된다고 속삭여 주세요. 곧 좋아질 거라고 안심시켜 주세요.

동영상을 보고 따라 하세요

꾹꾹 셀프 운동 ➜ 꾹꾹 셀프 장운동 ➜ 04 준비운동 배 문지르기

배꼽에서 시작해
시계 방향으로 풀어 줍니다.

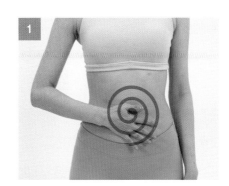

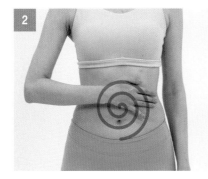

꾹꾹이
건강법

생각의 힘은 경이롭습니다. 자신을 얼마나 아끼고 사랑하는지 손바닥에 생각과 감정을 실어 배를 풀어 줍니다.

원의 회전수는 마른 사람은 서너 바퀴, 몸집이 있는 사람은 네다섯 바퀴가 적당하나 보다 세밀하게 다스리고 싶다면 회전수를 늘려 촘촘히 문지르면 좋습니다. 끝나면 다시 배꼽으로 돌아와 몇 차례 더 반복합니다.

손바닥으로 가슴 문지르기

가슴에도 장기가 들어 있습니다. 호흡을 담당하는 폐와 혈액을 온몸에 공급하는 심장입니다. 생명에 직결되는 중요한 장기이기에 갈비뼈가 성곽처럼 둘러싸서 외부 충격을 막아 보호합니다. 복부의 장기들과 다르게 갈비뼈로 인해 직접 가슴 속 장기를 지압하지는 못하지만 흉곽 외부에 압력을 가해 간접적으로 폐와 심장을 다스릴 수 있습니다.

가슴 정중앙 오목한 지점에서 시작해 시계 방향으로 원을 그리며 가슴을 문지릅니다. 이하 복부를 문지를 때와 같은 방법으로 실행합니다.

준비운동을 마치면 꾹꾹이를 들고 본격적으로 셀프 장운동을 시작합니다.

가슴 정중앙에서 시작해 시계 방향으로
풀어 줍니다.

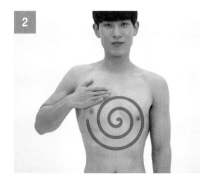

꾹꾹이
건강법

속이 더부룩하고 소화가 안 될 때?_ 위장과 소장 풀어 주기

불규칙한 식사나 과식으로 인해 소화와 관련된 생체리듬이 깨지면 위장에서 소장, 대장으로 이어지는 연동운동 기능이 떨어집니다. 음식물이 순차적으로 소화되는 과정 중 특정 지점에서 정체가 발생하면 소화불량, 체기, 명치 언저리의 답답함과 같은 증상이 나타납니다.

최고의 개선 방안은 식습관 조절이지만 여의치 않은 현실을 감안한다면 차선책으로 꾹꾹이를 활용해 장의 연동운동을 도울 수 있습니다. 음식을 분해하는 위장부터 시작해 영양분을 흡수하는 소장까지 꾹꾹이로 지압하며 연동운동을 늘려 줍니다.

Day 2.
건강 독립의
지름길,
하루 5분
셀프 장운동

위장
풀어 주기

입에서 음식물을 잘게 씹어 넘기면 위장은 이를 죽으로 만듭니다. 음식을 완전히 분해시켜 소장으로 넘겨줘야 영양분 흡수율이 높아지기 때문입니다.

만약 위장이 처리할 수 있는 능력을 넘어 과식을 반복하면 위장은 과로에 시달려 시름시름 앓게 됩니다. 과도하게 넘어온 음식물을 처리하느라 위장이 늘어나 위하수(위 처짐)가 되기도 하고 자극적인 음식으로 인해 염증이 생기기도 합니다. 음식물을 처리하는 곳이지만 정작 위장 자체는 힘들고 지쳐 제대로 영양 공급을 받지 못하고 중요한 임무를 책임지다 보니 늘 피곤합니다.

위장을 살리는 가장 중요한 방법은 섭생입니다. 적절한 양을 제시간에 맞춰 먹고 늦은 시간 야식을 자제해야 합니다. 아울러 꾸준히 꾹꾹이로 위장을 다스리면 기운이 조절되고 혈류의 흐름이 개선되며 영양분이 위장에 공급되어 치유에 큰 도움이 됩니다. 연동운동 능력도 좋아져 음식물이 정체되지 않고 소장으로 잘 넘어가게 됩니다.

꾹꾹이
건강법

위장의
누름점

위장은 명치와 배꼽의 중간 지점을 기준으로 좌측 방향 약간 위쪽에
위치해 있습니다.

　위장의 중심점과 그곳을 기준으로 위, 아래, 좌우 네 지점을 포함
한 총 다섯 곳을 지압하며 위장을 풀어 줍니다. 각 누름점의 간격은 체
형에 따라 다릅니다. 마르고 몸집이 작은 사람은 촘촘히, 체격이 큰 사
람은 좀 더 넓은 간격으로 눌러 줍니다.

　숨을 내쉬며 꾹꾹이에 살짝 힘을 실어 누른 뒤 1~2초 정도 멈추
고 숨을 들이마시며 떼어 줍니다. 통증이 느껴지면 즉시 동작을 멈춥
니다. 시원한 쾌감이 느껴질 만큼만 자극의 강도를 조절합니다.

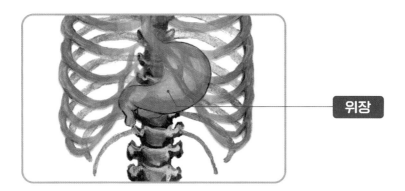

위장

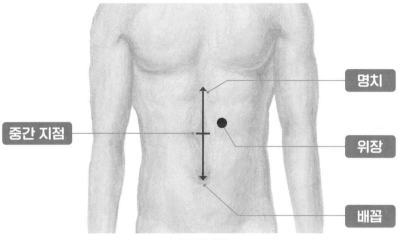

명치

중간 지점

위장

배꼽

위장의 위치

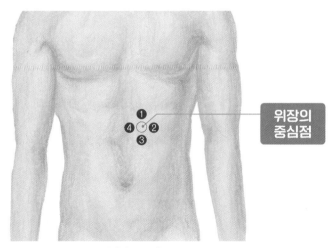

위장의 중심점

위장의 누름점

TIP

누름점이란?
누름점은 장기에 에너지를 공급하여 장기를 건강하게 만드는 지점입니다. 마치 보약을 만드는 공장과 같습니다. 장기마다 있는 몇 군데의 누름점을 꾹꾹이로 눌러 줍니다.

꾹꾹이
건강법

위장의 중심점을 풀고 2~3cm 정도 위에 있는 1번 누름점을 동일한 방법으로 풀어 줍니다.
나머지 2번에서 4번 누름점을 순차적으로 풀어 준 뒤 처음 위장의 중심점으로 돌아가 다시
이 과정을 두세 차례 반복합니다.

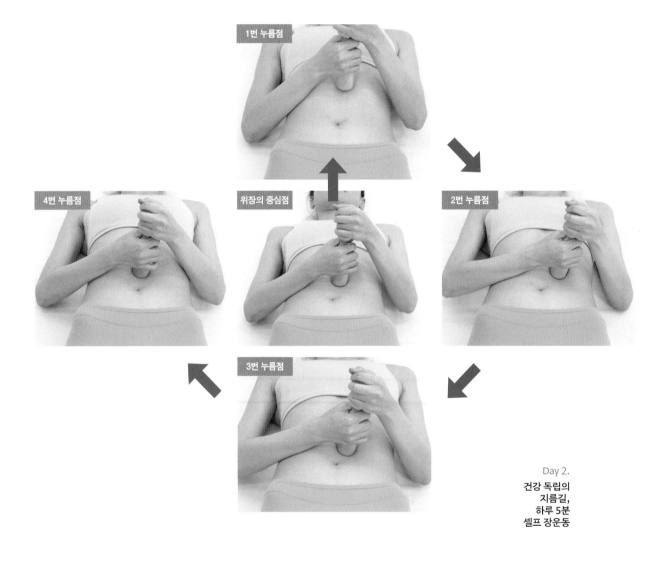

위장
느끼기

위장의 누름점을 모두 다스렸으면 꾹꾹이를 내려놓고 손바닥으로 위장 부위를 문질러 주며 마무리합니다.

　손바닥 마사지가 끝나면 눈을 감은 채 양손을 옆으로 내려놓고 마음의 눈으로 위장을 지그시 바라보며 상쾌한지, 편안한지, 미약한 통증이 있는지, 감각을 있는 그대로 받아들입니다. 이 과정을 통해 우리는 위장과의 대화 통로를 만들어 가기 시작합니다. 그동안 위장이 통증 신호를 보내야만 관심을 기울였다면 지금부터는 평소에도 위장

TIP

위장과 정신건강

신경이 예민한 사람이나 수험생처럼 높은 집중력이 필요한 경우 위장이 건강해지면 마음이 안정되고 잡념에서 벗어나는 데 도움이 됩니다.

정신적인 문제에는 심리 상태나 환경, 건강 등 수많은 요인들이 복합적으로 얽혀 있지만 동양의학에서는 위장 기능과 사고 능력 사이에 연관이 있다고 보았습니다. 위장이 나빠지면 정서적으로 불안해지고 인지능력이 저하되거나 판단력이 흐려질 수 있으며 위장이 건강하면 이런 문제들이 해소되어 정신이 맑고 튼튼해진다고 하였습니다.

꾹꾹이
건강법

장기와 다투지 마세요.
평소와 다른 자극에
저항하는 장기를
억지로 풀려 하지 마세요.
자신이 소중하듯
장도 그렇게 아껴 주세요.
강하게 압력을 주지 말고
천천히 스스로 풀릴 때까지
기다려 주세요.

의 상태를 알아챌 수 있는 능력을 얻게 됩니다.

　　이제 위장 한곳에 머물러 있던 의식을 온몸으로 확장해 느껴 봅니다. 위장에서 시작된 에너지의 변화와 감각이 전신으로 퍼져 나가는 것을 지켜봅니다. 꾹꾹이로 지압한 건 위장이었지만 그 자극의 여파는 한 지점에 국한되지 않고 파도가 온 바다에 일렁이듯 몸 전체를 채워 나갑니다. 위장은 우리 몸을 구성하는 여러 장기 중 하나임과 동시에 에너지의 측면에서 몸 전체와 연결되어 있습니다. 그 일체감을 느껴 보세요.

　　이렇게 위장을 풀고 나면 소화불량, 위경련, 위궤양, 위하수 등 위장과 관련된 증상에 효과를 볼 수 있습니다.

소장
풀어 주기

위장을 풀어 준 뒤에는 소장으로 넘어갑니다. 음식물에서 원료를 뽑아내어 영양분을 신체에 공급해 주는 기관이 소장입니다.

　　인체 세포는 끊임없이 파괴되고 복구되는 작업을 반복합니다. 붕괴 위험이 있는 노후 건물은 과감히 해체하고 새로 지어야 안전하듯이 오래되어 제구실을 할 수 없는 세포도 소멸되고 새로 탄생합니다. 소장에서 흡수된 영양분이 바로 여기에 활용됩니다. 소장의 흡수 기능이 좋아야 영양분을 온전히 받아들여 세포를 재건할 수 있습니다.

영양분은 신체가 움직이는 데 필요한 연료로 사용됩니다. 소장의 기능이 저하되어 연료가 부족해지면 기운도 딸리고 쉽게 지칩니다. 소장이 건강하면 섭취한 음식물의 영양분을 허무하게 내보내지 않고 알뜰히 받아들여 신체를 구성하는 원료로, 활동에 필요한 에너지원으로 활용할 수 있습니다.

소장의
누름점

소장은 배꼽을 중심으로 광범위하게 분포되어 있습니다. 성인의 소장은 대략 6~7m 길이로 꽤 깁니다. 펼쳤을 때는 200m²로 약 60평에 해당하는 넓은 면적입니다. 영양분을 조금이라도 더 흡수하기 위해 크나큰 표면적을 갖는 방향으로 진화했고 길이가 길다 보니 구불구불 돌며 아랫배 전체를 가득 채우고 있습니다.

소장은 넓게 분포된 만큼 위장보다 누름점이 많습니다. 먼저 배꼽을 기준 삼아 위, 아래, 좌우 네 곳을 풀어 줍니다. 이어서 조금 더 바깥쪽으로 여덟 지점을 풀어 줍니다. 각 누름점의 간격은 각자의 체형을 고려해 스스로 조절합니다.

먼저 소장의 중심점인 배꼽에 꾹꾹이를 올립니다. 배꼽은 예민한 부위이므로 살짝 얹는 정도의 압력만 실어 줍니다. 이후 배꼽 위 1번 누름점으로 꾹꾹이를 옮겨 숨을 내쉬면서 누르고 잠시 멈춘 뒤 들이

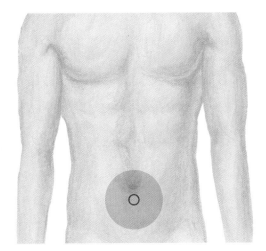

소장의 위치

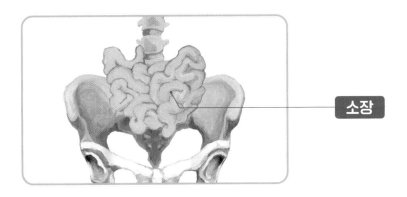

소장

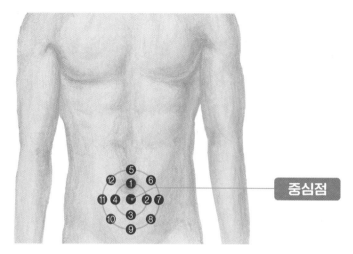

소장의 누름점

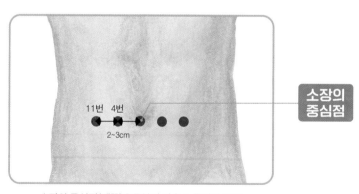

소장의 중심점(배꼽)으로부터 좌우 누름점의 간격

쉬며 떼어 줍니다. 4번까지 차례로 풀어 준 뒤 다시 5번부터 12번까지 배꼽을 중심으로 둥근 원을 그리며 각각의 누름점을 빠짐없이 풀어 줍니다.

소장
느끼기

소장의 누름점을 모두 다스렸으면 꾹꾹이를 내려놓고 손바닥으로 배꼽을 중심으로 아랫배 전체를 넓게 문질러 주며 마무리합니다.

손바닥 마사지가 끝나면 눈을 감은 채 양손을 편하게 내려놓고 마음의 눈으로 소장을 지그시 바라보며 느껴지는 감각을 온전히 받아들입니다. 내 몸이 어떠한 상태에 놓여 있든 현 상황을 인정하고 수용하는 마음가짐으로부터 치유는 시작됩니다.

TIP

소장과 성장기 아이들

소장이 건강해지면 제반 소화 흡수 기능이 향상되고 속도 편해지지만 또 다른 효과도 기대해 볼 수 있습니다. 너무 마른 체형이라 고민인 분들이나 성장기에 있는 아이들의 경우 소장 기능이 향상되면 단백질을 비롯하여 신체를 구성하는 데 필요한 여러 종류의 영양소들을 잘 받아들이게 됩니다. 적절한 운동을 겸하며 양질의 영양분을 섭취하면 체중 증가나 성장에 큰 도움을 받을 수 있습니다.

꾹꾹이
건강법

1번부터 12번까지의 누름점을 한 번씩 누르고 나면 시작 지점인 소장의 중심점으로
돌아가 처음부터 반복합니다. 총 두세 차례 반복합니다.

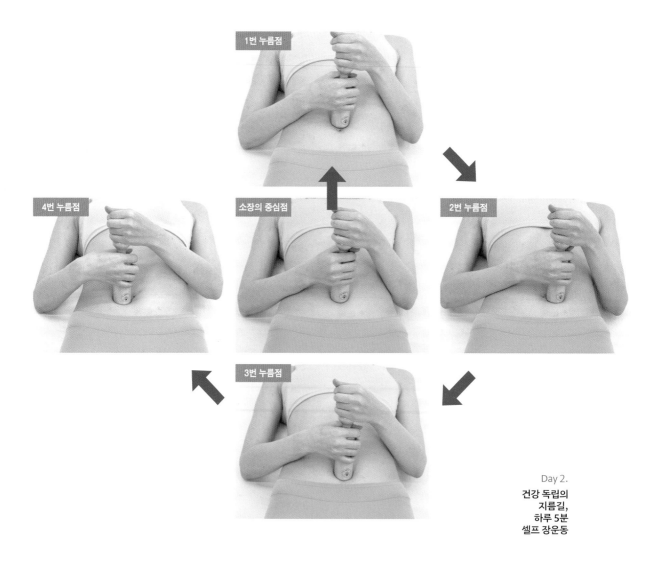

5번 누름점

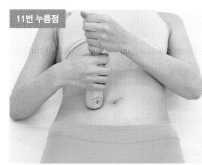

11번 누름점

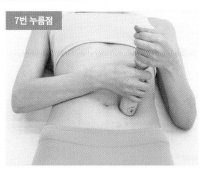

7번 누름점

9번 누름점

꿈꿈이
건강법

위장과 같은 방법으로 소장에서 전신으로 퍼져 나가는 에너지의 흐름과 변화되는 신체의 감각도 느껴 봅니다. 한 지점에서 시작된 변화의 울림이 온몸에 어떠한 영향을 이끌어 내는지 차분히 관찰합니다.

주의 !
배꼽 아래에는
민감한 신경줄기가 있으니
너무 깊게 누르지 마세요.
깊게 들어가면
찌릿하거나 통증이
느껴질 수 있습니다.
배꼽은 다른 지점보다
가볍게 살짝 손을 얹는
정도로만 지압합니다.

체험
수기

6년 전 뇌경색으로 병원 신세를 진 적이 있다. 신속한 조치로 겉보기에는 별 후유증이 없어 보였지만, 재발에 대한 두려움 탓인지 우울증과 불면증에 시달렸고, 5년 넘게 정신과 상담을 받으며 항우울증약과 신경안정제, 수면유도제를 복용해야 했다. 설상가상 소화와 배변에도 문제가 생겨 건강은 악순환을 거듭하고 있었다. 그러던 중 이 책의 저자인 임기홍 선생님을 만나게 되었다. "소화가 안 되면 두통이 오기도 하지요? 한방에서는 뇌와 장이 연결돼 있다고 봅니다. 꾹꾹이 마사지로 장을 활성화하면 소화와 배변에 큰 도움이 되고, 그러면 우울증과 불면증도 개선될 수 있을 겁니다."

당시에는 말도 안 되는 소리라고 생각했지만, 마사지야 몸에 나쁠 것 없으니 속는 셈치고 꾹꾹이 장 마사지를 해 보기로 했다.

위장과 대장을 중심으로 며칠 동안 꾹꾹이 장 마사지를 하자 가늘고 묽었던 변이 황금색으로 변하기 시작했다. 배변이 원활해지니 먹는 것도 덜 힘들고 건강에 대한 걱정도 줄어들기 시작했다. 선생님께 "제가 위장과 대장이 좀 과민한가 봐요"라고 했더니 과민한 게 아니라 원활하게 활동하지 못해서 그런 것이니 오히려 둔감한 것이라고 해서 깜짝 놀랐다. 이제까지 반대로만 생각하고 있었다는 사실에 헛웃음이 나왔다.

호전 반응으로 장 속이 깨끗이 비워지느라 그랬는지 쉴 새 없이

방귀가 나왔고, 수면유도제를 반 알로 줄이고 우울증약도 줄였는데 몸은 이전보다 훨씬 가벼워졌고 기분도 상쾌했다. 누워서 하루에 5분씩 불편한 일주일을 넘기고 나니 모든 일에 의욕이 솟았다.

선생님 말씀을 따라 꾹꾹이와 함께 가벼운 운동과 산책도 시작했다. 악순환을 반복하던 몸 상태와 건강 염려증이 선순환으로 돌아섰고, 잘 먹고, 잘 배출하고, 잘 자니 달고 살던 약도 끊고 이제 정상적으로 생활할 수 있겠다는 확신이 들었다. 나는 오늘도 일어나서 5분, 자기 전에 5분, 꾹꾹이로 장 마사지를 하고 있다.

현재 건강이 좋아져서 수면제는 완전히 끊었고, 다른 약들의 복용량도 크게 줄인 상태이다.

신영숙(가면), 60세

꾹꾹이
건강법

3 변비나 설사로 고생한다면?_ 대장을 다스리자

대장
풀어 주기

대장은 1.5m에서 2m 정도의 길이로 소장에서 미처 처리하지 못한 영양분(여러 종류의 비타민이나 미네랄 등)을 체내로 흡수하고 남은 음식물 찌꺼기를 처리합니다.

　　소장이 흡수하는 곳이라면 대장은 버리는 곳입니다. 주방의 휴지통이 쓰레기로 가득 차 있으면 세균이 증식해 집안 구석구석 악취가 풍기는 것처럼 대장도 제때 비워 주지 않으면 대변의 독소가 몸 안으로 흡수돼 혈관을 타고 온몸으로 퍼집니다.

　　쾌변은 건강한 삶의 척도입니다. 현대인들은 바쁜 일상과 불규칙

한 생활 패턴, 스트레스 등으로 인해 대장의 연동운동 기능이 나빠져 변비나 설사로 고생하기도 합니다. 최근 들어 대장을 건강하게 만들어 주는 유산균 시장이 비약적으로 커지고 있는 현상만 봐도 얼마나 많은 이들이 크고 작은 대장 문제를 안고 있는지 짐작할 수 있습니다.

꾹꾹이로 대장을 지압하면 연동운동이 리듬감을 되찾아 변비나 설사 등 불편한 증상이 개선되고 배변이 원활해집니다. 대장은 장내 유익균의 보금자리로 체내 면역력에도 깊이 관여하는데 건강한 대장은 심신의 자연 치유력을 향상시킵니다.

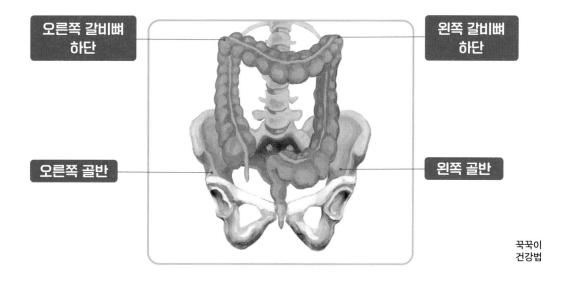

오른쪽 갈비뼈 하단

왼쪽 갈비뼈 하단

오른쪽 골반

왼쪽 골반

꾹꾹이
건강법

대장의
누름점

대장은 소장이 끝나는 오른쪽 골반의 안쪽에서 시작해 위로 올라갑니다. 우측 갈비뼈 하단에서 왼쪽으로 방향을 틀어 복부를 가로질러 이어지다가 좌측 갈비뼈 하단에서 아래로 향합니다. 대장의 끝은 왼쪽 골반에서 직장, 항문으로 연결됩니다.

　오른쪽 골반 안쪽의 대장 시작점부터 갈비뼈 아래 3번 누름점까지 네 지점을 풀어 줍니다. 왼쪽 옆으로 방향을 전환해 복부를 횡으로 지나 좌측 갈비뼈 아래 7번 누름점까지 풀어 주고 나면 아래로 방향을 전환해 마지막 종착점까지 풀어 줍니다.

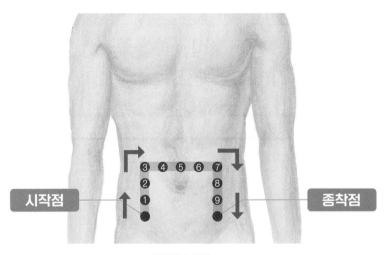

대장의 누름점

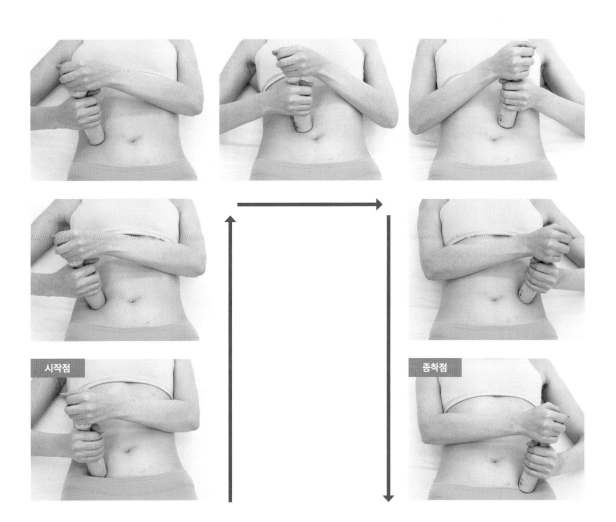

시작점

종착점

대장
느끼기

대장의 모든 누름점을 풀어 준 뒤 대장의 위치를 따라 둥글게 손바닥으로 배를 어루만져 줍니다.

호흡을 가다듬고 눈을 감아 심신의 번잡함을 고요히 가라앉히고 대장을 지그시 바라봅니다. 다른 장기들에 비해 궂은일을 도맡아 묵묵히 해내는 대장에게 고마움을 표합니다.

꾹꾹이 지압 후 대장에서 올라오는 감각들을 살펴보고 받아들입니다. 대장의 건강을 위해 앞으로 나의 습관들을 어떻게 바꿔 나갈지 다짐하며 마무리합니다. 이제 전신으로 의식을 확대해 대장에서 시작된 에너지의 변화가 온몸으로 퍼져 나가는 것을 지켜봅니다.

TIP

소화가 잘 되려면?

독자 여러분의 이해를 돕기 위해 소화불량일 때는 위장과 소장, 변비나 설사에는 대장을 다스리는 것으로 구분해 설명했지만 위장에서 소장을 거쳐 대장으로 이어지는 소화 기계는 유기적으로 연관된 하나의 시스템입니다.

우리는 소화가 잘 안 될 때 보통 위장만을 원인으로 생각하기 쉬운데 대장의 기능이 나빠진 것이 원인일 수도 있습니다. 주방 싱크대에 물이 잘 안 빠질 때 그 원인이 개수대일 수도, 더 밑에 있는 하수관이 막혀서일 수도 있는 것처럼 하수관이 문제라면 개수대 근처를 아무리 뚫어 봐야 소용이 없고 배관공을 불러 하수관 깊은 곳까지 청소해야 하는 것과 같은 이치입니다.

소화불량의 경우도 위장 자체의 문제일 수도 있지만 하수구에 해당되는 대장의 기능이 떨어져 변이 잘 빠져나가지 않아 위장에서 내려가야 할 음식물이 적체되어 나타나는 증

대장,
고마워요!

상일 수도 있습니다. 이렇게 증상이 나타난 곳과 원인이 발생한 곳은 다를 수 있습니다. 소화기계의 문제는 이러한 특성으로 인해 위장, 소장, 대장을 따로 분리하여 다스리기 보다는 세 장부를 함께 풀어 주는 것이 기능 회복에 효과적입니다. 꾹꾹이로 위장과 소장을 풀고 연이어 대장까지 한꺼번에 다스리기를 권장합니다. 소화기계 전체의 연동운동이 좋아져 섭취부터 흡수, 배설에 이르는 전 과정이 눈에 띄게 개선될 것입니다. 누워서 5분, 꾹꾹이의 마법입니다.

건강법

지친 장기에 활력을_
복부에 있는
모든 장기 풀어 주기

평생 맡은 일을 묵묵히 쉬지 않고 해내는 장기는 때로 지치기도 합니다. 의자에 오래 앉아 있거나 혹은 하루 종일 서서 일을 한 후에는 장기에게도 휴식할 기회를 주어야 합니다. 바르지 않은 섭생과 다양한 심신의 압박으로 인해 무기력해진 장기에도 재충전의 시간이 필요합니다.

꾹꾹이로 특정 장기를 구분하지 않고 소화기계를 포함한 복부에 있는 모든 장기들을 자극해 전체 장기에 활력을 북돋아 줄 수 있습니다. 다음 그림과 같이 복부를 6등분하여 가상의 수평선을 긋고 1번부터 6번까지 순차적으로 풀어 주면 복부 안에 있는 모든 장기를 다스릴 수 있습니다.

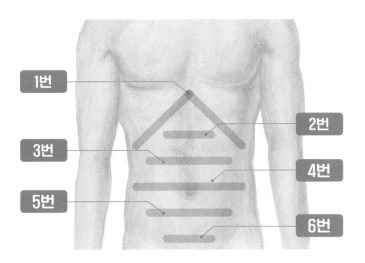

1번 선 _
간과 위장

명치에서 갈비뼈 바로 밑을 따라 뻗어 나간 선으로 오른쪽에는 간, 왼쪽에는 위장이 있어 두 장기를 함께 다스릴 수 있습니다.

간은 몸을 위해 다방면으로 무수한 일들을 해냅니다. 독성 물질을 해독해 소변으로 배출하고 소장에서 흡수된 영양분을 저장하며 인체에 필수적인 여러 종류의 단백질을 합성합니다. 가히 인체의 화학 공장이라 불릴만한 간은 침묵의 장기라고도 이야기합니다. 과묵한 간이 지치면 우리는 쉽게 피로를 느끼게 됩니다.

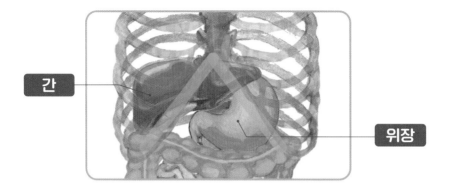

간

위장

셀프 장운동은 몸통 정중앙 시작점에서 출발합니다. 시작점과 왼쪽의 누름점들을 풀고 나머지 오른쪽의 누름점을 순차적으로 눌러 줍니다. 오른쪽과 왼쪽 둘 중 어느 방향을 먼저 해도 괜찮습니다

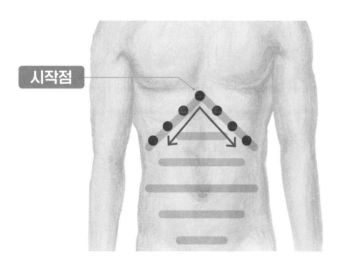

시작점

Day 2.
**건강 독립의
지름길,
하루 5분
셀프 장운동**

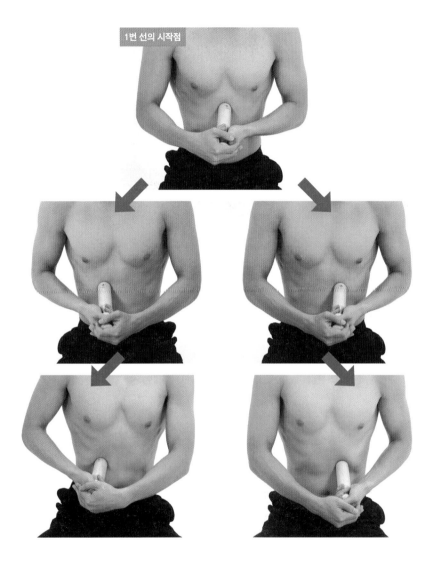

1번 선의 시작점

꾹꾹이
건강법

2번 선과 3번 선 _
위장과 대장

2번 선은 명치에서 대략 5cm 정도 아래 있습니다. 3번 선은 오른쪽과
왼쪽 갈비뼈 제일 아래 지점을 이어 주며 상복부를 횡단하는 선입니다.

　사람마다 체형이 다르듯이 장기의 위치도 조금씩 달라 명확하게
구분하기 힘들지만, 대략 2번 선에는 위장이 포함되어 있고, 3번 선에
는 옆으로 가로지르는 대장이 걸쳐 있습니다. 위장에서 시작해 대장

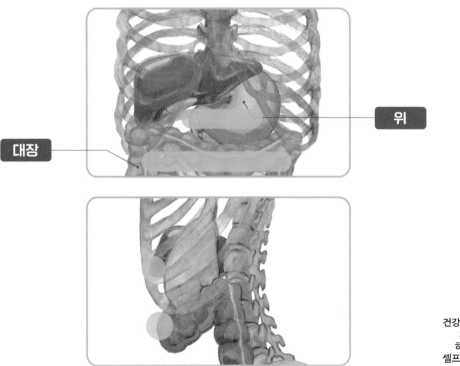

위

대장

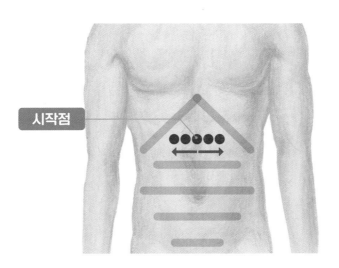

시작점

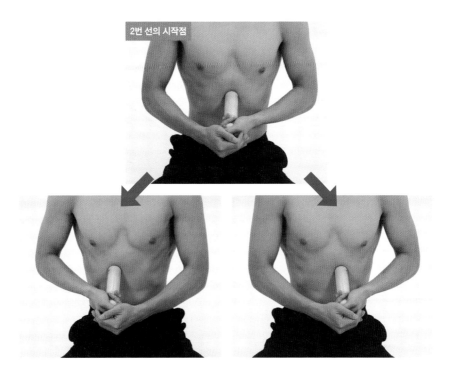

2번 선의 시작점

꾹꾹이
건강법

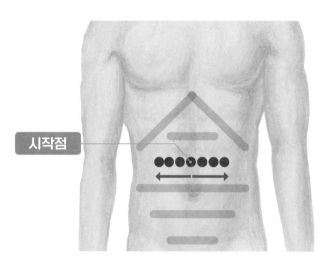

시작점

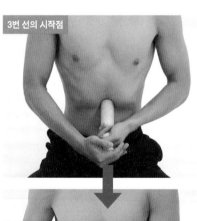

3번 선의 시작점

동영상을 보고 따라 하세요

꾹꾹 셀프 운동 ➔ 꾹꾹 셀프 장운동 ➔

10 지친 장기에 활력을 1_상복부

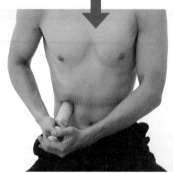

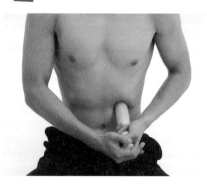

Day 2.
건강 독립의
지름길,
하루 5분
셀프 장운동

에 이르는 소화기계는 생명 활동의 원료를 공급하고 처리하는 중요한 장기입니다. 2번 선과 3번 선을 꾹꾹이로 지압하면 위장과 대장 일부를 다스릴 수 있습니다.

　　2번 선과 3번 선 역시 중앙 시작점에서 출발하여 좌우의 누름점들을 순서대로 풀어 줍니다.

4번 선과 5번 선 _
소장과 대장

4번 선은 골반의 오른쪽 윗부분과 왼쪽 윗부분을 연결하는 수평선입니다. 양손으로 옆구리에 있는 골반의 윗부분을 확인하여 두 지점을 이은 선이 4번 선입니다.

　　5번 선은 4번 선에서 대략 5cm 아래에 있습니다. 골반 안쪽에 위치하며 소장, 대장의 하단에 위치해 있습니다. 4번 선과 5번 선에는 소장과 대장이 위치해 있습니다.

　　4번의 시작점부터 좌우 누름점을 풀어 주고 5번 선도 반복합니다.

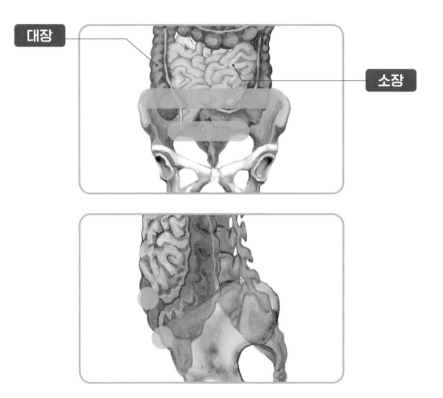

대장

소장

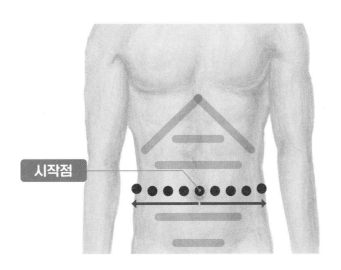

시작점

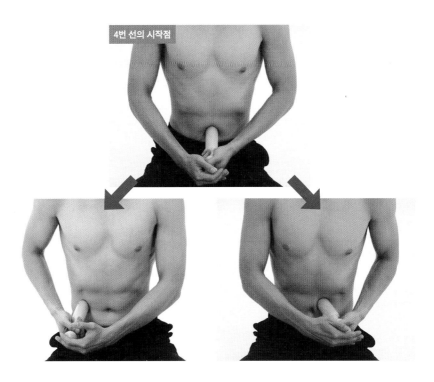

4번 선의 시작점

꾹꾹이
건강법

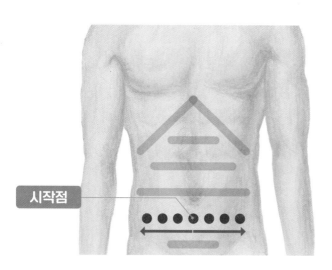

시작점

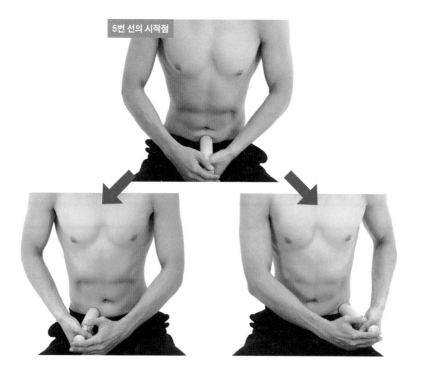

5번 선의 시작점

Day 2.
건강 독립의
지름길,
하루 5분
셀프 장운동

6번 선 _
방광과 자궁

6번 선은 치골 바로 위입니다. 6번 선의 안쪽에는 방광, 자궁이 위치해 있습니다.

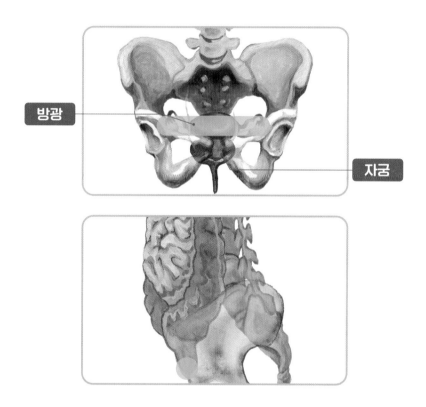

꾹꾹 셀프 운동 ➜ 꾹꾹 셀프 장운동 ➜ 11 지친 장기에 활력을 2_하복부

꾹꾹이
건강법

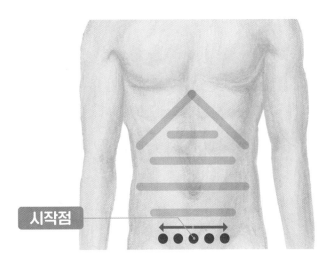

시작점

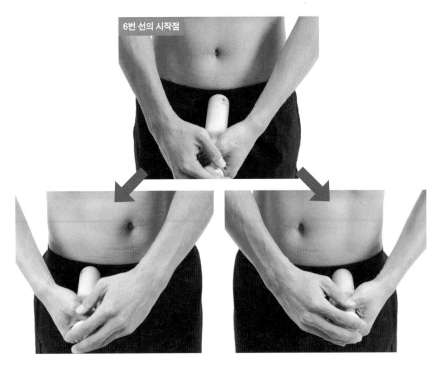

6번 선의 시작점

Day 2.
건강 독립의
지름길,
하루 5분
셀프 장운동

생리가 불규칙하거나 견디기 힘들 정도로 생리통이 심한 여성들 중에는 통증을 완화시키기 위해 진통제를 복용하거나 온찜질, 좌욕 등을 해도 여전히 고통이 심한 경우가 있습니다. 이런 경우 평소 6번 선을 부드럽게 지압하면 아랫배의 혈액순환이 좋아지고 생리통을 경감시키는 효과를 얻을 수 있습니다.

골반은 자궁을 담고 있는 바구니입니다. 장바구니나 가방을 기울인 채 흔들고 다니면 안에 담긴 내용물이 뒤죽박죽 엉망이 됩니다. 골반이 뒤틀리면 안에 들어 있는 자궁도 압박을 받아 생리 이상이나 통증이 발생할 수 있습니다. 골반이 바로잡히면 자궁도 본래 위치로 돌아가고 기혈 순환이 원활해져 다시 건강을 찾아갑니다. 무엇보다 바른 자세가 중요한 이유입니다.

장기
느끼기

1번 선부터 6번 선까지 모든 누름점을 풀어 주고 손바닥으로 배를 어루만져 줍니다. 호흡을 가다듬고 눈을 감아 심신의 번잡함을 고요히 가라앉히고 장부를 지그시 바라봅니다. 내 몸을 위해 너무나 많은 일들을 해 준 장기에게 고마움을 표합니다.

꾹꾹이
건강법

장운동을 보다 더 쉽게 _
배꼽을 중심으로
방사형 풀어 주기

복부에는 소화 및 배설과 관련된 장기, 해독 작용을 담당하는 장기 등 여러 장기가 모여 있습니다. 꾹꾹이를 처음 접할 때는 장기의 위치와 기능, 병증과 관련한 정보, 지압 방식이나 순서 등이 어렵고 생소하게 느껴질 수 있습니다. 이와 같이 복잡하다 생각될 경우 보다 쉽게 셀프 장운동을 할 수 있는 방법을 알려 드리겠습니다.

배꼽을 중심으로 원을 그려 가며 복부를 눌러 주기만 하면 됩니다. 장기가 어디에 있고 누름점의 효과는 무엇인지 복잡하게 생각할 필요 없이 원을 따라 가며 꾹꾹이를 갖다 대기만 하면 됩니다. 누름점의 위치가 정확하지 않아도 괜찮습니다.

꾹꾹이를 잡고 먼저 배꼽에서 제일 인접한 부위부터 시작해 작은 크기의 원에서 점차 넓고 큰 원으로 범위를 확장하며 곳곳을 자극합

작은 원에서 시작해 중간 원으로,
바깥 제일 큰 원을 따라
끊어지지 않게 이동해 주세요.

니다. 둥글게 퍼져 나가는 원을 따라 꾹꾹이를 눌러 나가면 배 속 장부
모두를 다스릴 수 있습니다.

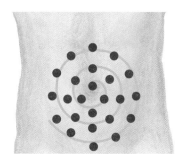

**꾹꾹이
건강법**

1. 배꼽 기준 2~ 3cm 반경으로 아래위, 좌우 네 곳을 눌러 줍니다.
   이 부위에는 소장이 위치합니다.

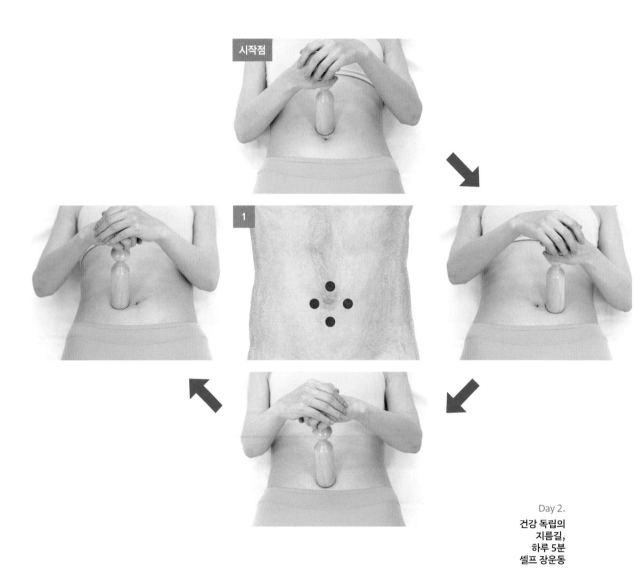

2. 배꼽 기준 약 6~7cm 반경으로 원을 그리며 여덟 지점을 눌러 줍니다.
   이 부위에는 소장과 위장이 있습니다

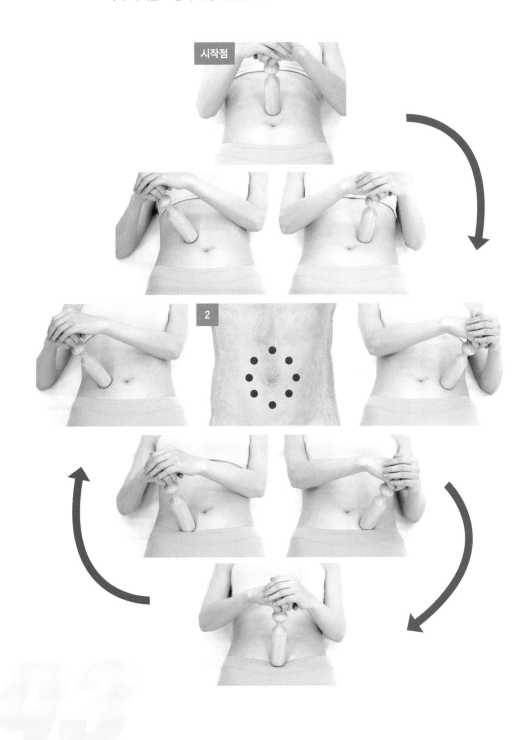

3. 배꼽 기준 약 10~11cm 반경으로 원을 그리며 열두 지점을 눌러 줍니다.
   개인의 체형에 따라 반경은 달라질 수 있습니다.
   복부 바깥 부분을 따라 큰 원을 그리며 촘촘하게 눌러 줍니다.
   좌우 갈비뼈와 옆구리, 골반 능선, 치골 위를 따라 이동합니다.
   이 동선에는 대장, 간, 비장, 신장, 방광이 위치합니다.

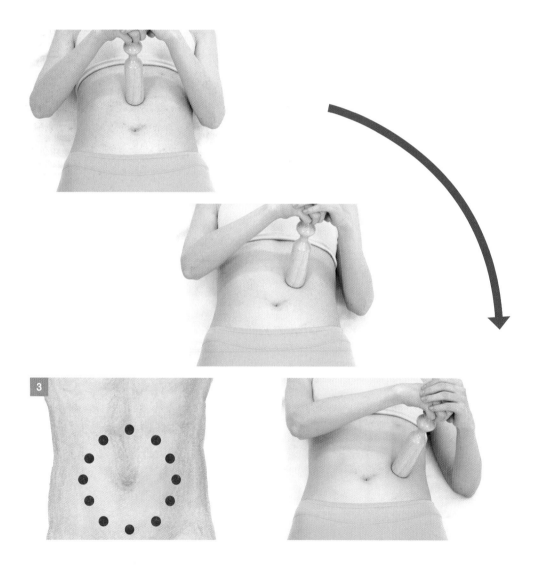

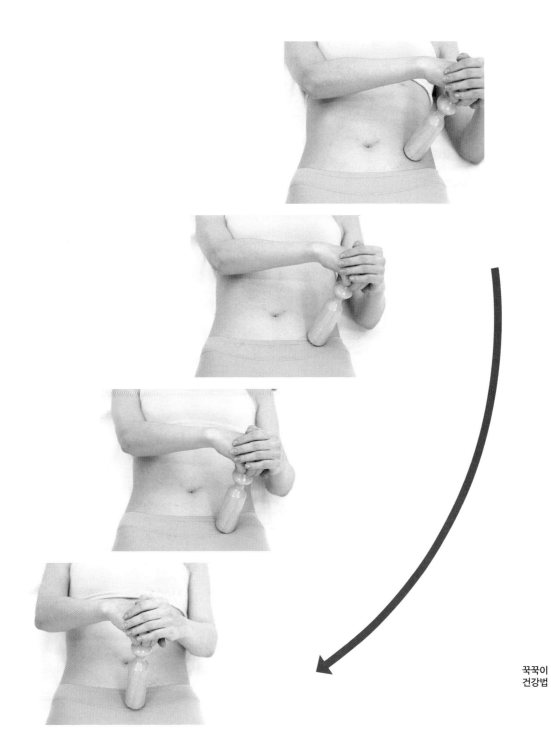

꾹꾹이
건강법

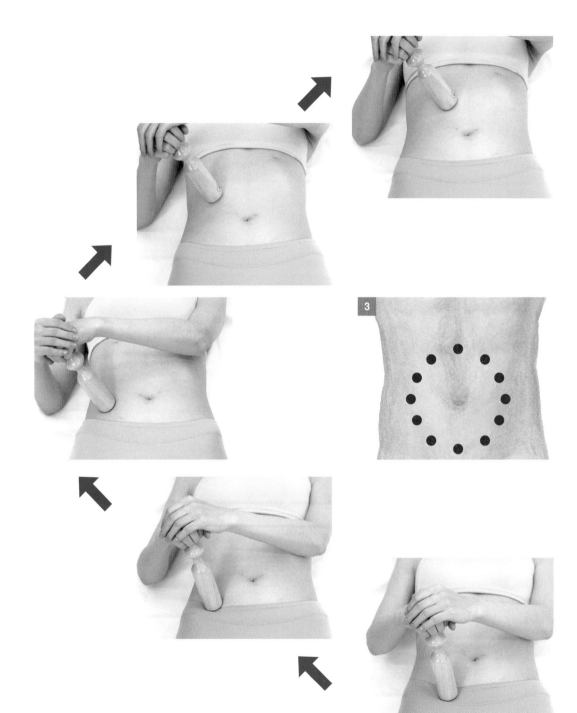

이 방법으로 장기뿐 아니라 인체의 중심이 무너지지 않도록 지탱하는 핵심 근육, 즉 골반 안쪽에 있는 장요근, 복근, 외복사근옆구리 등 코어 근육도 함께 풀어 줄 수 있습니다. 이러한 핵심 근육이 틀어지면 신체의 중심축이 기울어지며 디스크나 관절통, 신경통을 유발하기도 합니다. 방사형 풀어 주기는 장 건강과 더불어 근골계의 건강까지도 부수적으로 얻게 됩니다.

동영상을 보고 따라 하세요

꾹꾹 셀프 운동 ➜ 꾹꾹 셀프 장운동 ➜ 12 장운동을 보다 더 쉽게

TIP

바른 자세와 허리 통증

바르지 못한 자세로 오랜 시간 생활하거나 운동 부족으로 근육의 힘이 약해지면 신체의 균형이 무너집니다. 중심축이 뒤틀리면 근육이 긴장되거나 약해지고 허리에 통증이 발생합니다. 디스크 탈출증이나 척주관脊柱管 협착증으로 인해 허리에 직접 통증을 느끼기도 하지만 엉덩이나 다리에 방사통이 나타나기도 합니다.

허리 통증은 우리나라 인구의 절반 이상이 일생에 1번 이상 겪는 질환으로, 허리 통증을 예방하기 위해서는 평소 바른 자세를 유지하고 몸통을 지지하는 허리 근육과 복부의 근육도 강화해야 합니다.

화병, 우울증, 분노 등 감정을 주체하기 힘들다면? _ 심장을 다스리자

가슴 풀어 주기

슬픈 사연을 들으면 '가슴이 먹먹하다'고 말합니다. 마음에 한이 맺혔다고도 하고, 애간장을 태웠다거나 화병으로 가슴이 새까맣게 타 버렸다고도 합니다. 감정과 관련된 단어는 가슴과 연관되어 있는 경우가 많습니다.

감정은 가슴 중앙에서 느껴집니다. 팔다리나 목, 배에서 느껴지지 않습니다. 사랑을 하면 가슴이 뛰고 연인과 헤어져도 가슴이 시립니다. 화가 나거나 갑갑하면 무의식적으로 가슴을 두들기게 됩니다.

요가에서는 인체의 에너지가 집중되는 장소를 '차크라(바퀴라는 뜻의 범어)'라고 부릅니다. 모두 7군데가 있는데 그중 가슴 부위 차크라는

정서적 균형을 담당합니다. 한국 전통의 정신 수련에서도 이마와 가슴, 아랫배 세 지점에 존재하는 단전 중 가슴 부위의 중단전이 감정과 연결된다고 보았습니다. 가슴에는 감정이 느껴지는 에너지 센터가 있습니다.

　감정을 주체하지 못할 때 가슴 정중앙과 언저리를 꾹꾹이로 풀어 주면 응어리진 감정을 풀어내는 데 도움이 됩니다. 꽉 막혀 있던 가슴이 트이고 속이 시원해집니다. 제어하기 힘들었던 감정의 소용돌이가 점차 가라앉습니다.

심장의 누름점

앞서 알려 드린 준비운동 중 손바닥으로 가슴 문지르기를 실행합니다.

　준비운동으로 심장, 폐의 반응구를 포함한 감정 센터를 어루만지면 불안하고 조급해진 마음이 안정되고 자율신경계가 조절되며 신체가 이완됩니다.

　가슴 정중앙의 길쭉한 뼈를 흉골이라 부릅니다. 흉골 하단 바로 밑에 움푹 들어간 곳을 명치라고 하는데 이곳이 지압의 시작점입니다. 이곳에서 흉골 상단까지 6등분하여 흉골 1번 선의 누름점을 결정합니다.

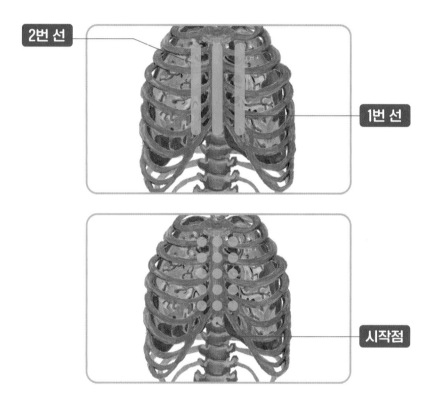

2번 선

1번 선

시작점

100

흉골은 양옆으로 갈비뼈와 연결되어 있는데 이 지점들이 2번 선입니다.

평편한 흉골과 갈비뼈 사이의 좁은 틈을 풀기 위해 꾹꾹이 손잡이 모서리를 이용합니다. 꾹꾹이의 몸통을 한 손으로 쥐고 손잡이 부분의 붉은 색 표시 부위를 누름점에 갖다 댑니다. 다른 한 손을 그 위에 포개어 눌러 줍니다. 가슴의 모든 누름점은 이 부위로 지압하되 명치만 파란색으로 표시된 손잡이 끝부분으로 풀어 줍니다.

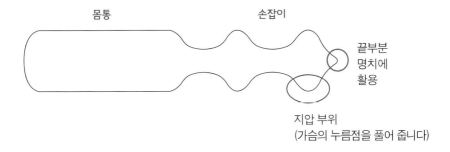

몸통 | 손잡이

끝부분
명치에
활용

지압 부위
(가슴의 누름점을 풀어 줍니다)

명치 시작점부터 출발하여 흉골의 지압점을 풀어 주고 좌우 갈비뼈 틈새를 풀어 줍니다. 명치는 양손으로 꾹꾹이를 거꾸로 잡아 수직으로 대고 풀어 줍니다.

가슴 지압은 다른 장기들과 달리 앉아서 해도 무방합니다. 언제든 가슴이 답답하면 앉거나 서서, 혹은 누워서 편한 자세로 풀어 주세요.

1. 1번 선의 시작점인 명치를 풀어 줍니다.

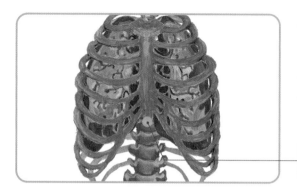

좌우 갈비뼈가 합쳐지는 중앙 부위가 명치입니다. 여기를 만져 보면 양쪽 갈비뼈가 만나는 지점에 조그마한 뼈가 아래쪽으로 돌출되어 있습니다. 이 돌출뼈의 바로 아랫부분이 1번 선의 시작점입니다.

명치
1번 선의 시작점

양손으로 꾹꾹이의 몸통을 잡고 손잡이 끝부분으로 명치를 누릅니다.

Day 2.
건강 독립의
지름길,
하루 5분
셀프 장운동

2. 흉골에 있는 1번 선의 지압점들을 순서대로 아래부터 위로 풀어 줍니다.

꾹꾹이의 몸통을 오른손으로 잡고 손잡이 끝부분을 명치 위쪽 흉골에 가져다 댑니다.

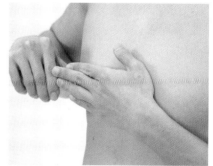

왼쪽 손바닥으로 손잡이 끝부분을 덮습니다. 왼쪽 손바닥으로 꾹꾹이를 지그시 눌러 풀어 줍니다.

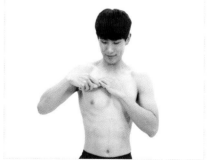

**꾹꾹이
건강법**

1번 선의 다른 지압점들도 차례대로 풀어 줍니다.

3. 2번 선을 풀어 줍니다. 좌우 어느 쪽을 먼저 해도 괜찮습니다. 사진에서는 좌측을 먼저 풀
   었습니다.

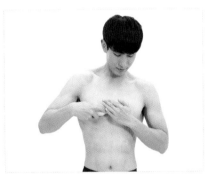

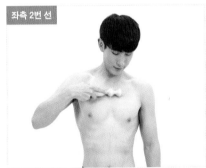

좌측 2번 선

4. 나머지 2번 선도 풀어 줍니다.

우측 2번 선

동영상을 보고 따라 하세요
꾹꾹 셀프 운동 ➜ 꾹꾹 셀프 장운동 ➜ 13 심장 다스리기

꾹꾹이
건강법

가슴 속
느끼기

가슴은 다채로운 감정이 일어나고 가라앉는 곳입니다. 가슴을 풀어 준 후에는 잠시 눈을 감고 감정의 부침을 바라봅니다. 가슴을 풀기 전의 부정적인 감정들과 풀고 난 후 새롭게 느껴지는 감정을 비교해 보세요. 계속해서 감정 변화의 추이를 놓치지 않고 바라보는 연습을 합니다.

격렬한 감정의 고조로 자칫 이성을 잃고 스스로에 대한 통제력을 놓치게 될 때 깊은 아랫배호흡과 함께 가슴을 다스리면 요동치던 내면이 잠잠해지며 혼란스럽던 생각이 정리됩니다. 어떠한 때 어떠한 생각과 감정이 올라오고 가라앉는지 스스로를 객관적으로 파악하면 감정에 동요되어 끌려다니는 일 없이 삶의 중심을 다잡을 수 있습니다.

TIP

안정된 숨쉬기

우리의 폐는 근육이 아니므로 자체적으로 움직이지 못합니다. 흉곽을 이루고 있는 여러 근육들과 횡격막이 움직여 폐의 호흡 작용을 도와주는데 만약 흉곽의 근육들이 약해지거나 경직되고 횡격막의 움직임이 둔해지면 폐호흡이 힘들어집니다. 이럴 때 꾹꾹이로 흉곽의 근육을 풀어 주면 폐가 편안하게 호흡하는 데 도움이 됩니다.

정신적, 육체적 스트레스로
하루 종일 긴장하고 있던
우리 몸은 밤이 되도 이완되지
못하고 불면증에 시달리기도
합니다. 흉골 언저리는 부교감
신경(미주신경)이 지나는 통로입
니다. 가슴을 꾹꾹이로 풀어
주면 부교감신경은 우리 몸이
불면증으로 고통 받지 않도록
신체를 이완해 줍니다.

아랫배와 가슴을 한번에 다스리자!
거궐 풀어 주기

명치 1번 선의 시작점에서 배꼽 쪽으로 약 2~3cm 아래에는 '거궐'이라는 혈자리가
있습니다.

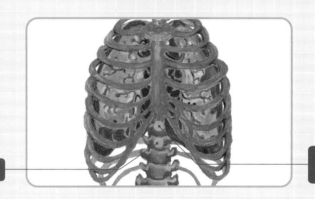

거궐

1번 선의
시작점

동영상을 보고 따라 하세요

꾹꾹 셀프 운동 ➜ 꾹꾹 셀프 장운동 ➜ 14 거궐 풀어 주기

거궐은 답답한 가슴을 편안하게 만들고 정신을 안정시키며 위궤양에도 효과가 있는 혈자리입니다. 평소 단독으로 거궐만 풀어도 좋고 심장을 다스리기 위해 1번 선의 시작점을 풀어 줄 때함께 풀어 줘도 훌륭한 효과를 볼 수 있습니다.

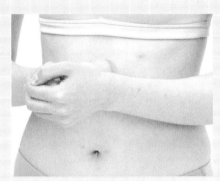

양손으로 꾹꾹이의 몸통을 잡고 손잡이 끝부분으로 거궐을 풀어 줍니다.

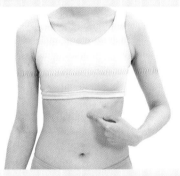

사진에서는 꾹꾹이 잡는 법과 거궐의 위치를 정확히 보여 주기 위해 한 손으로 잡았습니다.

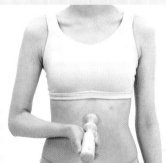
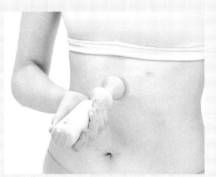

느낌 따라 손길 따라
아픈 곳 찾기

점-선-면 입체 운동법
원리 익히기

셀프 장운동은 점이 이어져 선이 되고 선이 순환하여 면으로 확장되는 '점-선-면'의 원리를 바탕으로 한 입체적인 운동법입니다.

꾹꾹이로 배를 누르면 통증이 느껴지는 지점이 있습니다. 이 지점을 중심으로 인근 부위를 꾹꾹이로 누르면 또 다른 아픈 부위들을 찾을 수 있습니다. 이렇게 찾아낸 인접한 통증점들을 가상의 선을 그어 연결하면 순환선이 만들어지고 하나의 면이 형성됩니다. 셀프 장운동의 완성인 "나만의 몸 지도 그리기"는 통증으로 엮어진 이 면을 풀어 주는 데서 시작됩니다.

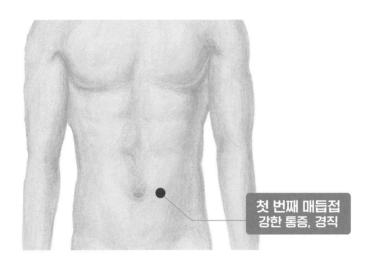

첫 번째 매듭점
강한 통증, 경직

1단계! 나만의 몸 지도 그리기를 시작하는 출발점, 첫 번째 매듭점 설정하기

실이나 끈 따위가 얽히고설켜 묶인 형태를 매듭이라 합니다. 수도꼭지에 연결된 고무호수가 꼬이면 통로가 막혀 물이 졸졸 나오거나 아예 흐르지 못합니다. 인체에도 장기나 근육의 기혈 흐름이 매듭처럼 꼬여 정체되거나 막힌 곳이 있는데 여기서는 이 지점을 '매듭점'이라고 부르겠습니다.

　매듭점에서는 해당 장기나 근육의 기능이 약화되거나 통증이 유발되기도 하고 조직이 멍울처럼 뭉치기도 합니다. 방치하면 해당 부위는 치료가 필요할 정도로 점점 악화되기도 합니다. 나만의 몸 지도 그리기는 이 매듭점을 찾아내는 데서 시작해 매듭을 풀어내고 기혈이

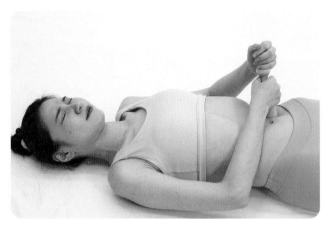

매듭점에서는 강한 통증이 올라옵니다.

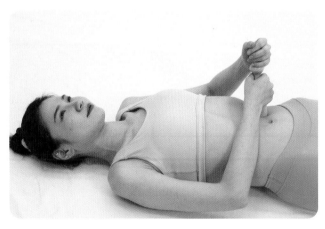

매듭점을 2~3회 풀어 줍니다.

정상적으로 흐르게 도와줍니다.

매듭점은 꾹꾹이로 복부 여기저기를 눌러 찾습니다. 땅 밑에 숨은 금속을 찾는 탐지기와 유사하게 꾹꾹이는 몸속의 잠재적 위험 요소들을 겉으로 드러내 주는 최적의 도구입니다. 꾹꾹이를 손에 쥐고 몸이 원하는 대로, 마음이 가는 대로 누릅니다. 신음소리가 날 정도로 도드라지게 통증이 있거나 단단하게 조직이 뭉쳐 멍울이 느껴지는 지점이 바로 매듭점입니다.

우리는 근육통이 발생하거나 배가 아프면 자신도 모르게 손을 얹어 아픈 곳을 주무르고 쓰다듬어 줍니다. 직관적으로 불편한 부위를 감지하고 주의를 기울이는 것처럼 내 몸과 꾹꾹이는 서로 정보를 주고받으며 자연스럽게 매듭점을 알아냅니다.

이때 매듭점이 여러 군데라면 가장 통증이 강하거나 굳어 있는 지점을 첫 번째 매듭점으로 정합니다.

첫 번째 매듭점에 꾹꾹이를 올려놓습니다. 전신의 힘을 빼고 숨을 천천히 코로 내뱉으며 꾹꾹이를 쥔 손에 팔의 무게를 실어 매듭점에 부드러운 압력을 가합니다. 매듭점에서 올라오는 반응을 살피며 잠시 움직임을 멈추고 기다립니다. 숨을 들이쉬며 꾹꾹이를 살짝 들어 줍니다. 2~3번 반복합니다. 특히 눌렀을 때 견딜 수 없이 심하게 아픈 곳은 살살 달래며 조심스레 풀어 줍니다.

2단계! 다음 매듭점을 찾아 이동하기

첫 번째 매듭점 주위를 꾹꾹이로 눌러 가며 다음 매듭점을 선택합니다. 눌러서 반응이 없는 곳은 건너뛰고 누르면 통증이 있는 곳, 눌렀다 떼면 시원함이 느껴져 계속 누르고 싶은 곳, 혈액이 돌고 조직이 부드러워지는 느낌이 드는 곳, 즉 반응점을 찾습니다.

본인이 원하는 지점을 발견하면 꾹꾹이에 손과 팔의 체중을 실어 지그시 압력을 가했다 풀어 주기를 두세 차례 반복합니다. 다음 세 번째 매듭점을 찾습니다.

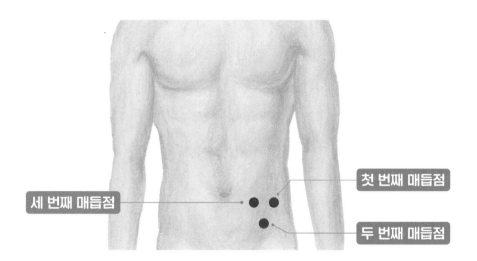

첫 번째 매듭점

세 번째 매듭점

두 번째 매듭점

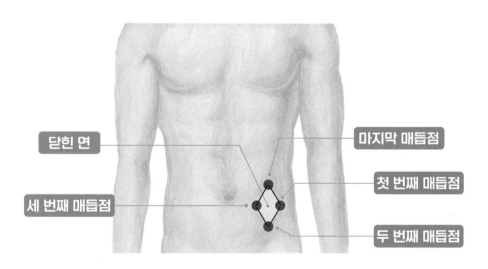

닫힌 면

마지막 매듭점

첫 번째 매듭점

세 번째 매듭점

두 번째 매듭점

3단계!
마지막 매듭점 찾기

마지막 매듭점을 찾아 모든 매듭점들을 하나의 선으로 연결합니다. 매듭점의 개수는 한 개일 수도 있고 여러 개일 수도 있습니다.

　이렇게 매듭점들을 이은 하나의 순환선이 만든 면을 '닫힌 면'이라 부릅니다. 닫힌 면의 모양은 제각각입니다. 넓기도 하고 좁기도 합니다. 닫힌 면의 피부 아래에 있는 장기는 건강한 조직과는 달리 기혈의 흐름이 정체되고 기능도 저하되어 있습니다. 매듭점을 풀어 주면 닫힌 면에 해당되는 장기의 막혔던 기혈이 다시 흐릅니다. 조직이 풀어지고 새로운 세포가 채워져 젊은 장으로 거듭납니다.

4단계! 다시 새롭게 첫 번째 매듭점으로!
1~3단계 반복하기

복부의 다른 부위에서 새로운 첫 번째 매듭점을 찾아 1단계에서 3단계의 과정을 반복합니다. 꾹꾹이를 사용해 촘촘하게 복부를 탐색해 나가면 다른 매듭점들을 찾아낼 수 있습니다.

　새롭게 탐색한 매듭점들을 이어 주고 순환선을 연결하면 두 번째 닫힌 면이 완성됩니다. 장기의 상태에 따라 닫힌 면은 하나일 수도 있고 여러 개일 수도 있습니다.

동영상을 보고 따라 하세요

꾹꾹 셀프 운동 ➜ 꾹꾹 셀프 장운동 ➜ 06 느낌 따라 손길 따라 아픈 곳 찾기

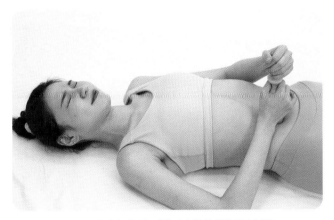

다른 부위에서 새로운 매듭점과 닫힌 면을 찾습니다.

꾹꾹이
건강법

매듭점에서 출발하는 점-선-면의 원리를 따르면 내 안의 아픈 곳, 문제 있는 곳을 파악할 수 있고 다스릴 수 있습니다. 단 5분만 느낌 따라 손길 따라 꾹꾹이로 아픈 곳을 찾아보세요. 셀프 장운동의 완성은 자유로움입니다. 정해진 틀 없이 매듭점을 찾아 나가며 몸의 반응을 관찰하면 자신만의 셀프 장운동법을 창조할 수 있습니다.

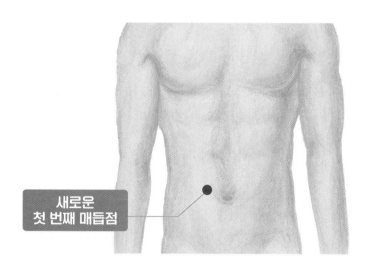

새로운
첫 번째 매듭점

Day 2.
건강 독립의
지름길,
하루 5분
셀프 장운동

118

꾹꾹이를 좀 더 쉽게 잡는 방법

1. 몸의 왼쪽을 풀어 줄 때는 오른손으로 꾹꾹이의 몸통, 왼손으로 손잡이를 잡습니다.
2. 몸의 오른쪽을 풀 때는 왼손으로 몸통, 오른손으로 손잡이를 잡으면 손이 꼬이지 않아 힘이 덜 듭니다.

위와 같이 좌우 위치에 따라 손을 바꾸면 지압점에 적절한 힘을 가하는 것이 용이하지만 처음 잡은 그대로 바꾸지 않고 지압해도 무방합니다. 매번 손의 위치를 바꾸기 번거롭다면 본인이 더 편하다고 느끼는 방식을 선택하세요.

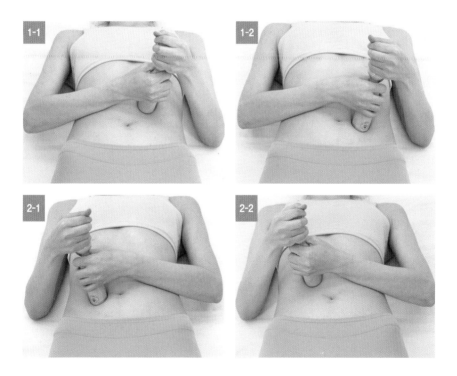

나만의
몸 지도 그리기

지금까지 학습한 병증 외에도 현재 불편한 부위가 있다면 그 원인이 어디에서 기인했는지 각 장기들을 눌러 보며 스스로 점검하는 시간을 가져 보세요. 처음에는 막막하지만 꾹꾹이와 장기에서 전해 오는 신호에 집중해 반복하다 보면 장기의 허실을 느낄 수 있습니다.

　꾹꾹이로 각자의 몸속 무너진 장기를 탐색하고 점-선-면 입체 운동법의 기본 원리와 사례별 응용법을 참조하여 자신만의 몸 지도를 작성해 봅니다. 사람들의 성격이 저마다 다르듯이 각 장기의 건강 상태도 개인마다 다릅니다. 내 몸을 가장 잘 아는 건 바로 나 자신입니다. 몸 지도를 기초 삼아 나에게 무엇이 필요한지 준비하고 실천하세요. 자신의 건강 상태에 관심을 기울이고 탐구해 보세요. 해법의 실마리를 찾게 됩니다.

달래 주기
(정리운동)

꾹꾹이 셀프 장운동이 끝난 후에는 아래 소개하는 정리 운동으로 가볍게 전신을 풀어 줍니다.

　　두드리고 늘리고 흔들며 근골계통을 자극해 셀프 장운동으로 얻은 생명에너지가 전신에 흐르도록 도와줍니다.

꾹꾹이
건강법

배 두드리기

주먹을 쥐고 배 전체를 통통 두들겨 줍니다. 배를 두드리면 진동이 사
방으로 전파되며 복부 근육과 허리 근육, 장기가 풀립니다.

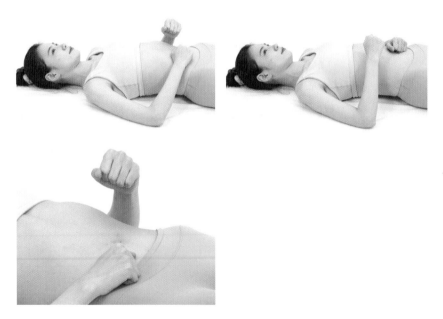

전신 늘려 주기

바닥에 누워 양 발끝을 붙여 최대한 아래로 뻗어 내리고 양손을 모아 위로 밀어 올립니다. 손과 발을 위아래로 뻗어 전신을 스트레칭하면 척추 마디마디가 펴지고 흉곽과 복부가 열리면서 장부가 들어 있는 공간이 넓어집니다. 평소 웅크린 자세로 인해 압박되고 눌려 있던 척추와 복부가 바른 자세로 돌아갑니다.

　　숨을 내뱉으며 전신을 아래위로 늘려 준 뒤 3~5초 정도 멈춥니다. 최대한 불필요한 힘을 뺍니다. 숨을 들이마시며 준비 자세로 돌아옵니다. 전신 늘려 주기를 3회 반복합니다.

　　아래위로 이완된 신체의 좌우 측면을 풀어 줍니다. 전신을 늘린

상태에서 깍지 낀 손과 발을 왼쪽으로 젖혔다가 오른쪽으로 젖히기를 반복합니다.

좌우로 젖힐 때 어깨와 엉덩이, 양손과 양발이 지면에서 뜨지 않도록 주의합니다. 최대한 지면에 전신을 붙여 움직입니다. 최소 10회 이상 반복합니다.

허벅지 흔들기

척추가 휘거나 골반이 틀어지면서 중심축이 기울어지면 코어 근육의 긴장도가 높아지고 관절에 변형이 초래됩니다. 이를 풀기 위해 스포츠 마사지나 지압을 받는 경우가 흔한데 가장 근원적인 치유책은 바른 체형으로 몸을 되돌리고 마음을 평온하게 다스리는 것입니다.

바른 몸을 갖기 위해서는 먼저 근육의 긴장을 풀어 주어야 하는데 언제 어디서나 편하게 할 수 있는 방법으로 허벅지 흔들기를 추천합니다.

허벅지는 인체에서 가장 큰 근육 중 하나입니다. 이 허벅지를 좌우로 흔들어 주면 골반과 척추가 진동하며 발끝부터 머리끝 정수리까지 몸 전체의 근육을 풀어 줄 수 있습니다.

골반과 허벅지의 운동성이 떨어지는 경우 허벅지가 아닌 종아리를 흔들기 쉬운데 종아리를 흔들면 진동이 골반까지만 전해져 상체를 푸는 데 도움이 되지 않습니다. 골반과 연결된 허벅지를 흔들어야만 아래위 몸 전체를 진동시킬 수 있습니다.

골반과 척추가 진동하면 그 안에 담겨 있는 오장육부도 함께 진동하게 됩니다. 허벅지를 흔드는 것만으로 전신의 근골계와 더불어 배 속 장기 모두가 풀어지는 것을 경험할 수 있습니다.

처음 50회 정도부터 시작해 체력에 맞게 점차 횟수를 늘려 갑니다.

동영상을 보고 따라 하세요

꿈꿈 셀프 운동 ➜ 꿈꿈 셀프 장운동 ➜ 15 정리운동

Day 2.
**건강 독립의
지름길,
하루 5분
셀프 장운동**

핸드백에 쏙, 가방 안 생필품!
휴대가 간편한 꾹꾹이로
언제 어디서나 셀프 장운동!

회사에서 잠깐 에너지를 충전할 때
공부하다 집중력이 떨어질 때
여행 중 쌓인 여독을 풀 때
장시간 걷거나 서 있느라
피곤한 발을 풀 때
꾹꾹이는 언제나 내 곁에 있습니다.

Day 3.

꾹꾹이
응용 하나,
손과 발
풀어 주기

내 몸의 주춧돌, 발바닥

척추가 기둥이고 어깨가 대들보라면 발은 인체를 지탱하는 주춧돌입니다. 건축물의 기초가 튼튼해야 지진이 나거나 천재지변이 발생해도 굳건하게 버틸 수 있습니다. 대지와 맞닿는 발의 중심이 잘 정렬돼야 그 위에 얹혀 있는 다리, 골반, 척추, 어깨와 머리가 흔들리지 않고 안정적인 위치를 유지합니다.

또한 하체로 내려온 혈액을 발바닥과 종아리근육이 협력하여 심장으로 다시 되돌려 주는데 이 기능이 약해지면 혈액순환이 정체되면서 하체가 붓고 하지정맥류가 발생하기도 합니다.

꾹꾹이로 발을 지압하면 인체의 중심축이 무너지는 것을 막아 근골계 통증을 예방하고 발바닥이 자극되어 혈액순환이 촉진됩니다. 발바닥이 아프거나 전신이 피곤하다면 간단한 발목 스트레칭을 곁들여

꾹꾹이
건강법

꾹꾹이 지압법을 따라 해 보세요.

발바닥
두드리기

발바닥에는 인체 각 부위와 일대일로 연관되는 반응 부위들이 있습니다. 간이나 심장, 소장 같은 장기에 이상이 발생하면 해당되는 발바닥 부위에 울혈이나 뭉침 현상이 나타나기도 합니다. 발에 분포되어 있는 신경 집결지인 '발 반사구'는 장기와 발바닥의 대응점입니다.

공원이나 산책로에 있는 지압길을 신발을 벗고 맨발로 걸으면 발바닥에 엄청난 통증과 자극이 몰려옵니다. 꾹 참고 한 바퀴 돌고 나면 식은땀도 나지만 혈액순환이 활발해지면서 몸이 가벼워집니다.

지압길을 찾아 밖으로 나가는 게 힘들다면 집안에서 꾹꾹이로 발바닥을 두드립니다. 반사구가 자극되어 장이 살아나고 발이나 종아리의 부기도 빠집니다.

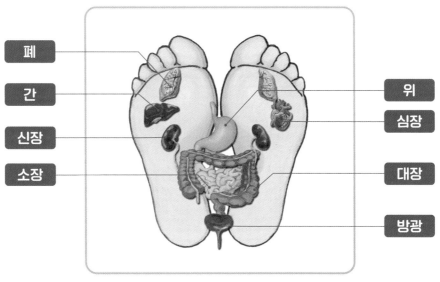

폐

간

신장

소장

위

심장

대장

방광

발바닥 반사구 _ 개별 장기의 대응점

생명수가 솟아오르는
용천혈 누르기

발가락을 구부리면 발바닥 정중앙에서 상단 부위에 사람 '인人' 모양
이 나타납니다. 그 가운데 오목하게 들어간 지점을 용천혈湧泉穴이라
부르는데 이 혈자리를 자극하면 심혈관계 질환을 예방하고 뇌 기능을
향상시키는 데 큰 도움이 됩니다. 나아가 정력과 체력을 강화하고 뼈
를 튼튼하게 해 성장기 아이의 발육을 돕고 골다공증을 예방할 수 있
습니다.

꾹꾹이
건강법

생명의 기운이 샘솟는 자리이므로 매일매일 꾸준하게 꾹꾹이의 손잡이 뾰족한 부위로 용천혈을 직접 자극해 주면 좋습니다.

의자나 소파에 앉아 한쪽 발을 들어 반대편 무릎 위에 올려놓습니다. 꾹꾹이의 손잡이를 쥐고 몸통 부위로 발바닥 전체를 고루 두드립니다.

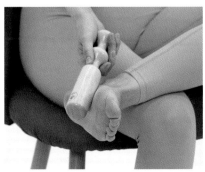 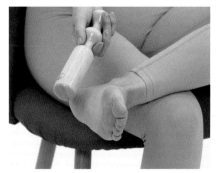

Day 3.
**꾹꾹이
응용 하나,
손과 발
풀어 주기**

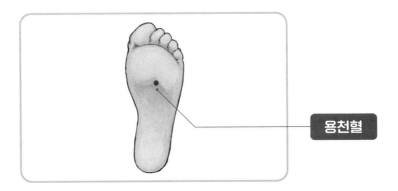

용천혈

꾹꾹이의 몸통을 잡고 손잡이 끝부분으로 용
천혈을 눌러 줍니다.

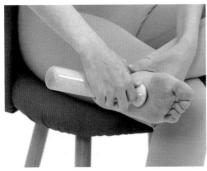 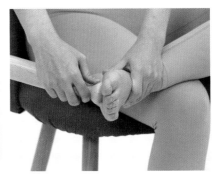

꾹꾹이
건강법

발바닥
마사지

발바닥 마사지는 반드시 의자나 소파에 앉아서 해야 합니다. 일어선 자세에서 한 발로 지탱한 채 진행하면 중심을 잃고 넘어지기 쉽고 몸에 불필요한 힘이 들어가기 때문입니다. 편하게 앉은 상태로 꾹꾹이를 양발로 밟고 동시에 앞뒤 같은 방향으로 움직이며 마사지합니다. 따로 시간을 할애하지 않고 TV나 책을 보면서 함께 할 수 있습니다.

발마사지를 하려는 장소의 바닥이 나무마루, 대리석 같이 딱딱하고 매끄럽다면 꾹꾹이가 미끄러져 발마사지를 제대로 하기 어렵습니다. 이런 경우 잡지책이나 얇은 이불, 혹은 천을 몇 번 겹쳐서 바닥에 놓고 그 위에서 발 마사지를 하면 미끄러짐 없이 발을 풀 수 있습니다.

발바닥이 긴장되어 있는 상태에서 강한 압력을 가하면 조직이 손상될 수 있으므로 발바닥 역시 상쾌한 기분이 들 정도로 가볍게 마사지합니다.

1. 꾹꾹이를 바닥에 내려놓습니다. 사진은 왼쪽 발바닥을 풀어 주는 모습입니다.
2. 먼저 오른발 정중앙으로 꾹꾹이의 몸통을 밟습니다.

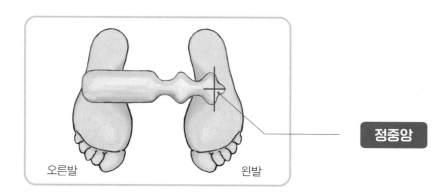

오른발　　　　　　　　　　　　　　왼발

정중앙

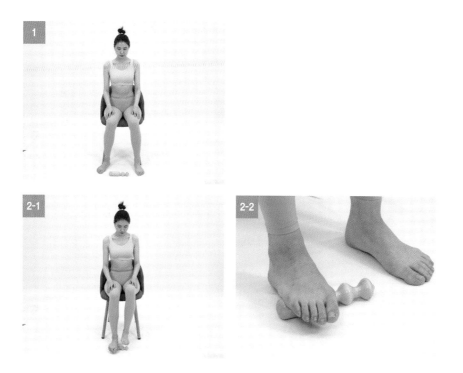

꾹꾹이
건강법

3. 이어서 왼발 정중앙을 손잡이에 올려놓습니다.

4. 양 발을 동시에 위아래로 움직입니다. 꾹꾹이의 몸통을 밟은 오른쪽 발바닥 전체가 풀어지고 손잡이를 밟은 왼발은 작은 지점에 강한 압력이 들어갑니다.

동영상을 보고 따라 하세요

꾹꾹 셀프 운동 ➜ 꾹꾹 셀프 장운동 ➜ 16 발바닥 풀어 주기

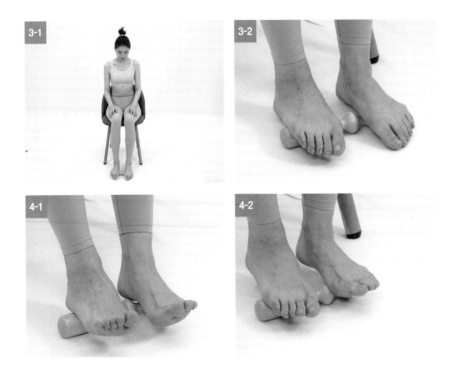

5. 손잡이를 밟은 왼발 지점을 이리저리 옮겨 가며 풀어 줍니다. 발바닥 중앙에서 시작해 앞
꿈치, 뒤꿈치 부위로 옮기며 발바닥 전체를 빠짐없이 풀어 줍니다.

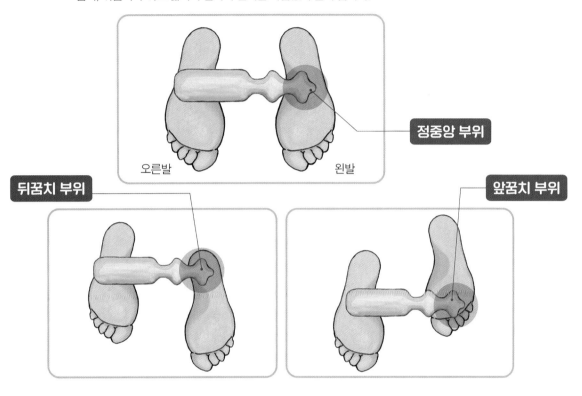

정중앙 부위

뒤꿈치 부위

앞꿈치 부위

오른발   왼발

6. 왼발의 지압이 끝나면 꾹꾹이의 방향을 반대로 바꿉니다. 왼발로 몸통을 밟고 오른발로 손
잡이를 눌러 밟습니다. 왼발과 동일하게 반복하며 오른쪽 발바닥을 구석구석 풀어 줍니다.

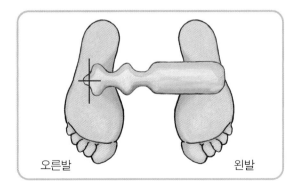

오른발   왼발

꾹꾹이
건강법

피곤한 종아리 풀어 주기

심장에서 하체로 내려온 혈액은 튼튼한 종아리 근육들이 펌프질해 심장으로 되돌려 보냅니다. 걷기는 종아리 근육을 강화시키고 펌프 작용을 통해 혈액순환을 증진시키는 데 좋은 운동입니다. 걷기 운동을 하면 좋지만 시간을 내기가 쉽지 않다면 꾹꾹이로 종아리를 두드려 주는 것으로 대신할 수 있습니다.

종아리 근육이 약하면 혈액을 상체 쪽으로 밀어 올리는 힘이 부족해 하체 부종이 발생할 수 있는데 종아리 두드리기는 펌프 작용을 도와 하체에 피가 정체되는 것을 방지합니다.

종아리는 의자에 앉아서 두드릴 수도 있고 바닥에 앉아서 풀어 줄 수도 있습니다.

하루 종일 앉아 있는 수험생이나 직장인, 장시간 걷거나 서서

1. 의자에 앉아서 두드리기
    먼저 오른손으로 꾹꾹이를 들고 오른발 종아리의 바깥 부분을 두드립니다. 무릎 밑에서부
    터 발목 위까지 아래위로 꾹꾹이를 옮기며 가볍게 풀어 줍니다. 무릎이나 발목을 두드리면
    부상을 입을 수 있으니 관절은 직접 자극하지 않고 근육이 도톰한 부위만 풀어 줍니다.

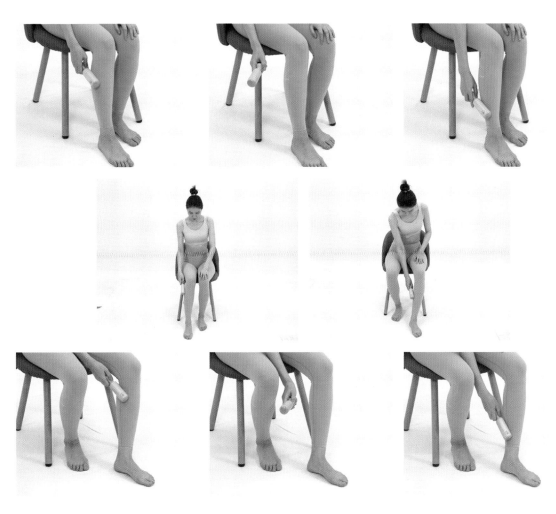

이어서 왼발 종아리의 안쪽 부분을 풀어 준 뒤 꾹꾹이를 왼손으로 옮겨 들고 왼발 종아리의
바깥 부분과 오른발 종아리의 안쪽 부분을 같은 방법으로 풀어 줍니다.

꾹꾹이
건강법

2. 바닥에 앉아서 두드리기
앉는 장소만 바닥일 뿐 의자에 앉았을 때와 동일한 방법으로 종아리를 풀어 줍니다.

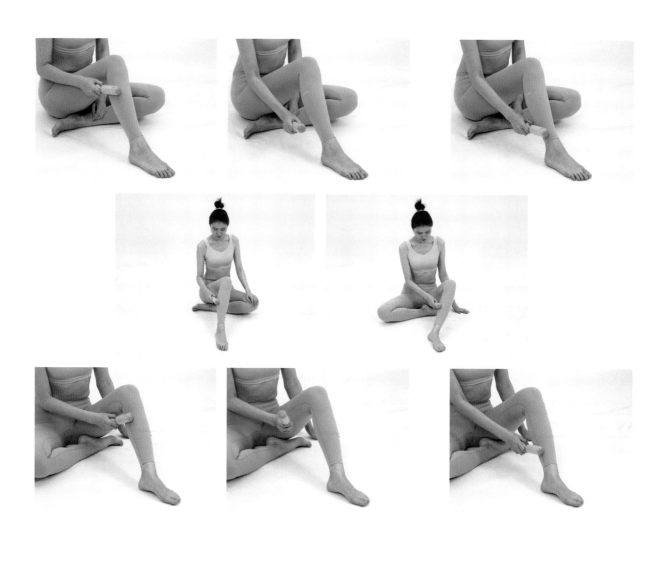

일하는 사람들 모두 늦은 오후가 되면 하체로 피가 몰려 다리가 퉁퉁 붓는 경험을 해 본 적이 있을 겁니다. 등산이나 오랜 여행으로 발바닥이 아파 올 때도 마찬가집니다. 꾹꾹이로 발바닥을 두드리고 종아리를 풀어 주면 한결 개운해집니다. 늘 꾹꾹이를 휴대하여 필요한 순간 사용해 보세요.

동영상을 보고 따라 하세요

꾹꾹 셀프 운동 → 꾹꾹 셀프 장운동 → 17 종아리 풀어 주기

꾹꾹이
건강법

끊임없는 노동에
시달리는 손과 팔뚝
풀어 주기

컴퓨터 키보드 앞에서, 스마트폰 자판 위에서, 운전대 위에서, 부엌에서, 우리의 손은 하루 종일 끊임없는 노동에 시달립니다. 피로가 누적되지만 딱히 손의 피로를 풀기 위한 별도의 노력을 기울이지는 않습니다.

　인체에서 소홀히 다뤄도 되는 부위는 없습니다. 손의 피로를 오랜 시간 방치하면 손가락 마디에 관절염이나 손목 터널증후군 같은 증상이 발생할 수 있습니다.

　손바닥에도 반사구가 있어 특정 지점과 장기가 반응합니다.

Day 3.
꾹꾹이
응용 하나,
손과 발
풀어 주기

손바닥과 팔뚝 안쪽
두드리기

꾹꾹이로 손가락 끝부터 손바닥, 팔뚝 안쪽을 순서대로 두들기며 올라간 뒤 팔꿈치 밑에서 방향을 반대로 돌려 다시 아래로 내려옵니다. 몇 차례 오르내리며 왕복합니다. 손목과 팔꿈치 관절은 두드리지 않습니다.

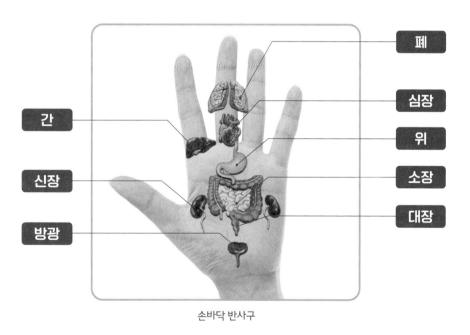

손바닥 반사구

손가락 끝부터 시작

손바닥

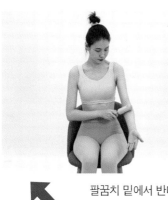

팔꿈치 밑에서 반대로 내려감

팔뚝 중간

손목 위

팔뚝 바깥쪽
두드리기

손등과 팔뚝의 바깥쪽을 정면을 향해 들어 줍니다. 꾹꾹이로 손목 위
부터 팔꿈치 아래까지 왕복하며 두드려 풀어 줍니다. 손목과 팔꿈치
관절은 두드리지 않습니다.

동영상을 보고 따라 하세요

꾹꾹 셀프 운동 ➡ 꾹꾹 셀프 장운동 ➡ 18 팔 풀어 주기

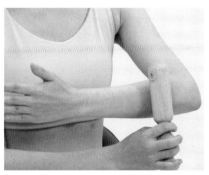

꾹꾹이
건강법

Day 4.

꾹꾹이 응용 둘, 맨몸 장운동

바른 자세
유지하기

우리의 몸 전체는 유기적으로 연결되어 있습니다. 심장에서 시작된 혈관은 위로는 머리, 아래로는 발끝까지 촘촘히 뻗어 산소와 영양분을 운반합니다. 두뇌에서 내려온 신경줄기는 척추를 타고 내려가며 전신에 신호를 전달합니다. 근골계도 마찬가지로 모든 관절들이 협력해 신체의 중심축을 유지하고 움직입니다.

바른 자세는 신체의 중심축이 제자리를 잡게 하고, 혈관, 신경계, 내분비계통 등의 흐름이 정상 운행되는 데 도움을 줍니다. 반면 소파에 비스듬히 기대어 척추가 휘어진 상태로 TV를 보거나 스마트폰 화면, 컴퓨터 모니터를 보기 위해 목을 자라처럼 숙이는 행동은 신체의 중심을 무너뜨리는 잘못된 자세입니다. 평소 머리끝에서 꼬리뼈까지 이어지는 척추의 중심을 바로 세우고 움직이는 습관을 들이는 것이

꾹꾹이
건강법

무엇보다 중요합니다. 바르게 신체를 정렬하는 것만으로도 인체의 장기는 회복되고 근골계통의 통증을 예방할 수 있습니다.

몸의 중심축을 바로잡는
6방향 전신 스트레칭

우리는 등산이나 축구, 수영, 달리기 등과 같은 운동을 하기 전 근육을 풀고 부상을 예방하기 위해 스트레칭을 합니다.

　　스트레칭은 다양한 동작들이 복합적, 순차적으로 구성되어 일견 복잡해 보이지만 분석해 보면 6방향의 움직임, 즉 앞으로 굽히거나 뒤로 젖히기, 오른쪽이나 왼쪽으로 구부리기, 좌우로 비틀기로 단순화됩니다. 6방향 풀어 주기는 이러한 원리에 맞춘 손쉬운 스트레칭 방법으로 실내나 야외, 낮과 밤에 구애 없이 짧은 시간 중요한 근육들을 풀어 주는 데 효과적입니다.

　　처음부터 끝까지 순서에 따라 최소 1번을 실행하고 필요에 따라 2번 이상 반복합니다.

양손을 아랫배에 포개고 자세를 반듯하게 세워 준비 자세를 취합니다. 준비 자세에서 상체를 천천히 앞으로 숙이며 양팔을 지면에 늘어뜨립니다. 잠시 동작을 멈췄다 서서히 몸을 세웁니다.

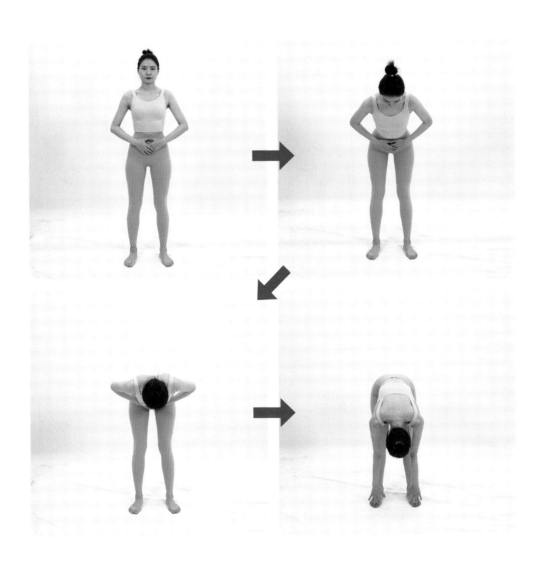

골반을 중심으로 상체를 앞으로 숙이고 뒤로 젖히는 동작은 골반의 균형을 잡아 줍니다. 골반은 장기를 담고 있는 그릇입니다. 골반이 기울어지면 안에 담겨 있는 장기들도 한쪽으로 쏠려 기능이 나빠집니다. 또한 골반은 척추와 연결되어 있는데 골반이 균형을 잃으면 척추도 중심을 잃고 휘어지게 됩니다.

1번과 2번 스트레칭으로 몸의 중심을 잡아 주는 핵심 근육들이 유연해지고 기능이 되살아납니다.

특히 2번 스트레칭은 어깨와 목뼈를 바르게 잡고 가슴을 펴는 데 도움을 줍니다. 하루종일 모니터와 휴대폰을 봐야 하는 현대인들은 거북목 증상이 나타나기 쉽습니다. 만약 어깨와 목뼈가 기울어지거나 휘어져 있다면 그로 인해 많은 질병이 발생할 수 있습니다.

웅크린 자세는 폐와 심장에 압박을 주고 목을 지나는 혈관을 좁히며 신경을 누르기도 합니다. 중심이 잘 잡힌 상체는 두뇌 건강에도 매우 중요합니다.

양 주먹을 골반 뒤에 대고 상체를 뒤로 젖힙니다. 가슴과 어깨를 활짝 펴고 고개를 뒤로 넘깁
니다. 잠시 멈췄다 천천히 원위치로 돌아옵니다.

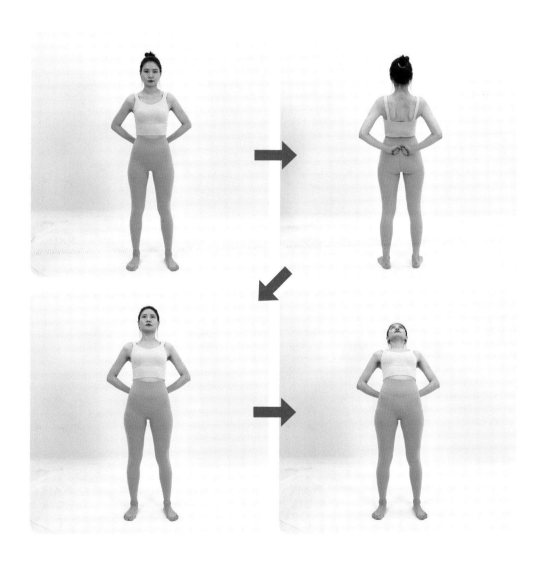

주의! 목 근육을 과도하게
움직이면 동맥이 압박되어
일순간 어지럽고 호흡이
가빠질 수 있습니다.
이미 거북목이나 일자목으로
심하게 변형되었다면
더욱 세심히 살피며
차근차근 강도를 높여 주세요.

왼손은 허리 뒤에 대고 오른손은 머리 위로 뻗은 상태에서 좌측으로 옆구리를 굽힙니다. 천천히 되돌아와 손을 바꿔 왼손을 머리 위로 올려 우측으로 스트레칭합니다.

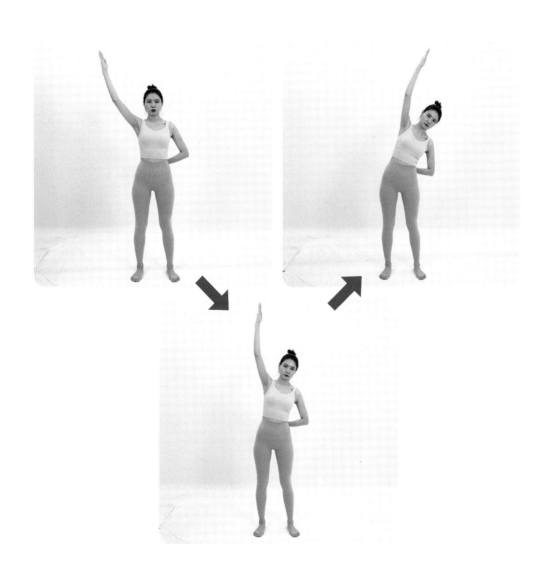

골반과 어깨는 앞뒤로 기울어지기도 하지만 좌우로 틀어지기도 합니다. 골반이나 어깨 한쪽이 높아져 양다리와 양팔의 길이가 달라지는 경우도 있습니다. 3번 스트레칭은 몸의 측면 근육들을 스트레칭해 좌우로 휘어진 중심축을 바로 세웁니다.

4번 스트레칭은 복부와 허리 힘을 키워 주고 틀어져 있는 척추 마디를 정상 위치로 되돌리는 동작입니다.

척추가 틀어지면 두뇌와 장기, 사지말단 사이에 오가는 생체 신호의 흐름이 방해받습니다. 신호 오류는 기능 이상을 초래해 나도 모르게 병을 불러오게 됩니다.

Day 4.
**꾹꾹이
응용 둘,
맨몸 장운동**

오른손은 허리 뒤에 대고 왼손으로 배를 감싼 뒤 숨을 내쉬며 오른쪽으로 몸을 비틀어 줍니다. 시선은 최대한 멀리 뒤를 봅니다. 천천히 원위치로 돌아와 손 위치를 반대로 하고 왼쪽으로 비틀며 스트레칭합니다.

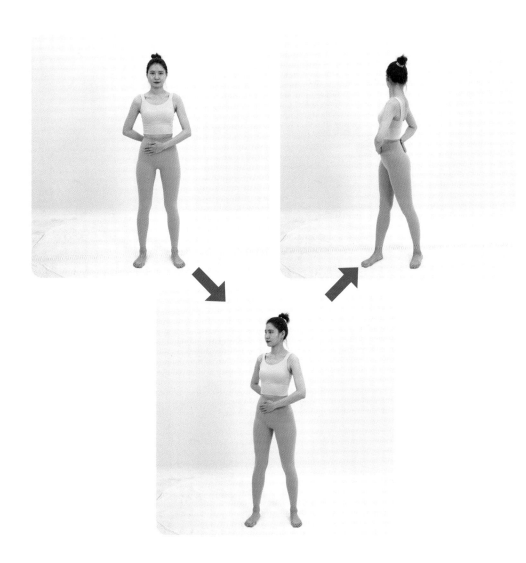

꾹꾹이
건강법

골반 안쪽에는 장요근이라는 중요한 근육이 있습니다. 허리를 구부리고 펴는 동작에 관여하는데 허리 통증을 유발하기도 합니다. 장요근 스트레칭은 허벅지 앞부분과 골반 안쪽 근육들의 유연성을 키워주면서 장요근을 다스려 허리를 편안하게 만듭니다.

동영상을 보고 따라 하세요
꾹꾹 셀프 운동 ➜ 꾹꾹 셀프 장운동 ➜ 19 바른 자세

왼손으로 벽을 짚고 왼발로 섭니다. 오른팔 팔꿈치를 뻗은 상태로 오른발 발등을 잡습니다. 발을 살짝 뒤로 잡아당긴 뒤 잠시 멈추고 원위치로 돌아옵니다. 오른발을 내려놓습니다. 이어서 오른손으로 벽을 짚고 오른발로 중심을 잡습니다. 왼손으로 왼발 발등을 잡고 반복합니다.

Day 5.

젊은 장이
선사하는
10가지
놀라운 효과

장이 나빠지면 여러 자각 증상들이 나타납니다. 식사 후 시간이 지나도 소화가 잘 안되고 속이 더부룩하며 명치 언저리를 돌로 막아 놓은 것 같이 묵직한 게 느껴집니다. 변비와 설사, 만성피로, 아침에 일어나면 입 안에서 심한 구취가 나기도 합니다. 소화, 해독, 조혈, 혈액순환 등 장기가 책임지고 있는 기능들이 약해지면서 피부는 거칠어지고 아랫배는 올챙이배처럼 볼록 튀어나오며 머리도 맑지 않습니다.

꾹꾹이로 장을 풀어 주면 무력했던 장기가 정신을 차리고 제 역할을 시작합니다. 직립보행 탓에 아래로 처져 있던 장기가 원 위치로 복원되고, 운동성을 상실했던 장기의 혈류가 개선되며 다시 활발하게 연동운동을 시작합니다. 퇴근길 사거리에 뒤죽박죽 엉켜 오도 가도 못하던 차량의 흐름이 교통경찰의 일사불란한 지휘로 정상을 찾아가

듯 모든 장기가 신나게 제 할 일을 시작합니다.

장기가 살아나고 관련된 신경계가 복구되면 내 몸에서 놀라운 일들이 벌어지기 시작합니다.

천연 항우울제 행복호르몬 세로토닌 분비

우리는 하루가 멀다 하고 뉴스에서 쏟아져 나오는 증오범죄를 마주할 때마다 두려움을 넘어 무력감까지 느끼곤 합니다.

폭발 직전의 화난 얼굴과 거친 언사로 주위를 두려움에 떨게 하고 특별한 이유도 없이 길 가던 사람에게 흉기를 휘두르거나 힘이 약한 아이나 여자를 납치해 끔찍한 범행을 저지르는 사람들은 도대체 어떤 사람들인 걸까요?

자존감이 낮은 사람의 경우 사회에서 소외되고 도태되었다고 느끼면 분노의 감정이 솟아오르는데 이것이 내면으로 향하면 스스로를 비하하거나 학대하게 되고 외부로 향하면 불특정 상대를 향한 폭력으로 표출됩니다.

우울증은 낮은 자존감, 주위 환경의 급격한 변화 등 심리적 원인과 아울러 내분비계, 호르몬 이상 및 신경전달물질의 이상과도 연관됩니다.

기분을 조절하는 신경전달물질에는 세로토닌, 도파민, 노르아드

레날린 등 많은 종류가 있습니다. 이중 행복호르몬이라 불리는 세로
토닌이 활성화되면 마음도 편해지고 안정감을 느끼며 삶의 만족도가
높아집니다. 세로토닌이 부족하면 우울증, 신경 불안, 부정적인 생각,
반사회적 성격장애 등이 나타나거나 아이들에게서는 자폐증이 발생
할 확률이 높아집니다.

세로토닌의 80% 이상이 장에서 만들어집니다. 건강한 장은 행복
호르몬과 천연 항우울제를 만드는 공장인 셈입니다.

장과 뇌는 한 가족,
두뇌 건강 Up!

고령화 사회가 앞당겨지면서 치매 환자가 급격히 증가하는 추세입니
다. 병을 앓고 있는 당사자는 물론 간병하는 가족들의 정신적, 경제적
고통 또한 사회적인 문제가 될 정도로 심각합니다.

최근에는 파킨슨병, 치매와 같은 성인 뇌 질환이나, 자폐증, 주의
력결핍 과다행동장애ADHD와 같은 아동 장애도 장 건강과 연관이 있다
는 연구가 활발히 진행되고 있습니다. 두뇌와 장부, 자율신경계는 서
로 연결되어 어느 한쪽의 상태가 다른 조직에 영향을 미치기 때문입
니다. 꾹꾹이 운동법으로 장이 튼튼해지면 한 가족인 두뇌도 건강을
되찾을 수 있습니다.

오장육부가 제자리로,
다이어트가 저절로

우리는 생활에 필요한 대부분의 영양분을 음식을 통해 얻습니다. 입에서 씹고 위장에서 잘게 부수면 소장에서 영양소를 흡수합니다. 소장의 기능이 나빠지면 체내로 영양분이 완벽히 흡수되지 못한 채 배설돼 영양 결핍 상태가 되기 때문에 위기감을 느낀 우리의 몸은 무의식적으로 과식을 하게 됩니다.

　꾹꾹이 운동법으로 오장육부의 균형이 잡히면 소화 기능과 소장의 영양 흡수 능력이 복구되고 적당한 양의 음식 섭취로도 신체가 필요로 하는 에너지와 영양분을 충족할 수 있게 돼 우리 몸은 더 이상 불필요한 음식물을 탐닉하지 않게 됩니다.

매일매일
황금색 변

현대 생명과학에서 가장 획기적으로 인식이 변화된 분야 중 하나가
바로 장내 서식하고 있는 미생물에 관한 연구 부분입니다. 인간이
집단을 이루고 서로 협력하듯이 인체 곳곳에는 셀 수 없을 만큼 무
수한 종류의 미생물이 모여 그들만의 독창적인 생태계를 만들고 있
습니다.

　　우리 몸에는 수많은 세균이 공생하고 있습니다. 피부, 코, 입, 점
막, 전신에 분포하는데 대다수는 소장과 대장에 무리 지어 있습니다.
표준 인체를 기준으로 한 사람당 대략 30조 개의 세포로 구성되어 있
는데 이보다 더 많은 36조 개의 미생물이 대장과 소장에서 살고 있습
니다. 피부에도 약 1조 개의 미생물이 분포하는데 우리의 몸 안팎을
빈틈없이 미생물로 덮어쓰고 살아가는 셈입니다.

　　인간과 미생물은 아득한 시간을 함께하며 서로의 진화를 견인해
왔습니다. 미생물은 오염된 환경으로부터 인체를 보호하고 면역력을
높여 주며 염증을 제어하고 소화를 돕습니다. 비타민이나 각종 물질
을 생성해 생리기능을 활성화시키기도 합니다. 반면 비만을 유발하고
가스와 각종 독소를 생성하며 질병에 대한 저항력을 떨어뜨려 사망에
이르게도 합니다.

　　장내 세균은 인간에게 이로운 작용을 하는 유익균이 20%, 독성
을 지닌 해로운 물질을 분비하여 질병을 유발하는 유해균이 10%, 어

디에도 속하지 않는 중간균이 70%의 비율로 존재합니다.

나쁜 균은 없애고 유익한 균만 있으면 좋을 것 같지만 적정 비율, 즉 장내 유익균과 유해한 균의 비율이 4:1로 혼재해야 장 건강에 이상적입니다. 만약 장내 유해균의 비율이 떨어지면 면역체계에 이상이 발생합니다. 동물 다큐멘터리를 보면 갓 태어난 코끼리 새끼가 어미가 싼 똥을 먹는 장면이 방송되는데 이는 어미 똥에 있는 다양한 균을 자신의 장으로 옮기기 위한 본능적인 행동입니다.

정상 체중인 사람에게는 유익균이, 뚱뚱한 사람에게는 상대적으로 유해균의 비율이 높습니다. 항생제를 장기 복용할 경우에도 일시적으로 장내 생태계가 파괴되어 유해균의 비율이 높아지면서 체중이 증가하기도 합니다.

장의 건강 상태를 확인하기 위해 아침마다 변의 색깔을 확인해 보는 것도 좋은 방법입니다. 변의 색깔이 푸른색, 흰색, 짙은 갈색, 검은색이라면 이상이 있는 것이고, 황금색이라면 유익균이 제 역할을 잘하고 있는 것입니다. 배변 활동은 대장이 연동운동으로 꿈틀대며 노폐물을 항문 쪽으로 밀어내 체외로 배설하는 과정입니다. 장의 연동운동이 약해지면 변을 밀어내는 힘이 부족해 변비로 고생하게 되고 반대로 연동운동이 지나치게 활발하면 설사가 유발됩니다.

민감해진 장을 꾹꾹이 운동법으로
풀어 주면 장 건강이 좋아지고
유익균이 증식하기 알맞게
장내 환경이 개선됩니다.
장내에 묵은 변이 사라지면
날씬한 허리와 깨끗한 피부는
저절로 따라 옵니다.

꾹꾹이
건강법

최고의 명약은
좋은 음식

곡물이나 채소를 주식으로 하는 동양인의 장은 육식을 위주로 하는 서양인의
장보다 깁니다. 식이섬유를 소화하기 적합하게 진화한 결과입니다. 그러나 생
활수준이 높아지고 식습관이 변화하면서 육류 소비가 증가하자 전에 없던 질병
들이 생기기 시작했습니다.

단백질은 소화 과정 중 부패하기 쉬운데 상대적으로 길이가 긴 동양인의 장을
통과하면서 갖가지 독소를 체내에 방출합니다. 유익균의 먹이가 되는 곡물과

야채는 멀리하고 단백질과 지방을 선호하게 되면서 서구인들에게서 주로 발생하던 대장암이나 성인병이 빈발하게 되었습니다.

신선한 야채, 미역 같은 해조류, 정제되지 않은 곡류, 견과류, 발효식품 등은 유익균의 먹이가 되어 장을 건강하게 만듭니다. 반대로 정제된 밀가루나 쌀, 설탕, 육류는 소화 과정에서 유해균을 증식합니다. 맛을 내기 위한 인공화합물이 다량 첨가된 식품들도 유해균을 번식시킵니다. 유해균이 많아지면 장 점막이 쉽게 손상되어 장벽을 뚫고 몸속으로 침투한 유해균에 의해 염증 반응이 일어나고 면역체계가 과도하게 활성화돼 자가면역질환을 비롯한 각종 만성질환이 발생할 수 있습니다.

장기를 건강하게 되돌리는 방법 중 제일 중요하면서 어려운 것이 바르게 음식을 섭취하는 것입니다. 장 건강은 식습관에 가장 큰 영향을 받습니다. 신선하고 영양가 풍부한 음식을 제때에 적정량 섭취하고, 야식, 과식, 기름진 음식, 온갖 첨가물로 뒤섞인 음식은 가급적 피해 주세요.

어떤 질병도 철벽 방어,
면역력 상승

인체는 외상을 입거나 세균에 감염되면 더 이상 조직이 손상되지 않도록 염증 반응을 일으켜 신체를 보호합니다. 염증炎症은 한자로 불 '화火' 두 개를 겹쳐 표기할 정도로 반드시 열을 동반합니다. 고통스러운 염증은 인체가 감염으로부터 스스로를 방어하기 위해 만들어 낸 면역 반응입니다.

전쟁이 벌어지면 제일 치열한 최전선에 엄선된 정예 병력을 배치해 공격과 방어를 담당하게 합니다. 대기 속 유해 인자로부터 인체를 보호하는 방어선이 피부라면, 장기의 점막 조직은 음식물과 함께 들어오거나 장내에 몰래 숨어 생명을 위협하는 수많은 위험 요소들에 맞대응하는 첨단 방어기지인 셈입니다.

인체는 면역 조직의 대다수를 장벽 안팎에 구축하여 침입에 대비하는데 바로 그 면역 세포의 70~80%가 장내에 존재합니다. 장은 인체 모든 기관 중 최고의 면역 장치입니다. 면역 조직이 대다수 포진된 장의 건강 상태에 따라 개인의 면역력도 결정됩니다.

꾹꾹이 운동법으로 장이 살아나면 최상의 면역력을 유지할 수 있습니다. 건강한 장이야말로 자연 치유력을 높여 주는 최고의 주치의입니다.

건강한 간,
맑은 피부

장내 분변에서 배출되는 가스의 일부는 입으로 역류해 구취를 풍기거나 배꼽 언저리 피부를 통해 분비되기도 합니다. 일부는 장벽을 통해 체내 흡수되어 몸을 떠돌며 독소로 작용하다 간에서 해독됩니다.

이 외에도 간은 알코올, 니코틴, 잔류 농약, 환경오염 물질 등 체내에 축적된 수많은 해로운 요소들을 정화시켜 배출합니다. 텔레비전 광고 등에서 늘 피곤한 장기로 묘사되는 만큼 간은 하는 일도 많고 온갖 위험 물질들을 처리하느라 늘 피곤합니다.

꾹꾹이 운동법은 지친 간을 달래 주어 해독 작용이 원활해지도록 돕습니다. 간이 살아나면 몸속에서 노폐물이 빠져나가고 신진대사가 개선되어 피부가 윤택해지고 맑아집니다. 건강한 간과 더불어 화사해진 피부까지 덤으로 챙겨 보세요.

꾹꾹이
건강법

아기 호흡으로 되찾는
평온한 마음

아랫배 호흡은 부교감신경계를 활성화 해 신체를 이완하고 휴식을 취하는 데 큰 도움을 줍니다. 부드럽고 건강한 장기를 가지고 태어난 아기는 깊은 호흡을 합니다. 이후 나이가 들면서 장기가 단단해지고 호흡과 관련된 근육들이 약해지면서 얕은 폐호흡으로, 임종을 앞두고는 목으로 숨을 쉬게 됩니다. '목숨이 끊겼다'는 표현은 바로 여기에서 비롯된 것입니다.

깊은 호흡이 가능하려면 장기가 부드러워야 합니다. 들숨, 날숨 때 장기가 탄력이 있어야 하는데 장부가 굳어지면 횡격막이 아래로 내려가지 않아 깊은 호흡이 어려워집니다.

꾹꾹이 운동법으로 배 속 장기들이 부드러워지면 깊은 아랫배 호흡이 가능해집니다. 아랫배 호흡은 생체리듬을 안정시키고 심신의 긴장을 완화시켜 휴식을 취하고 명상을 하는 데 도움이 됩니다.

감정을
다스리는 힘

예로부터 동양에서는 장부와 감정이 긴밀하게 연관되어 있다고 생각했습니다.

장부	간·담	심장·소장	비장·위장	폐·대장	신장·방광
감정	분노·화	기쁨·웃음	생각·근심	우울	무서움·공포

어두컴컴한 밤길을 혼자 걷다 정체 모를 소리나 인기척에 소스라치게 놀란 경험이 있으신가요? 이럴 때면 등골이 서늘해지는 동시에 갑자기 소변이 마렵고 찔끔 새어 나오기도 하는데 이는 갑작스러운 무서움이 순간적으로 방광을 자극하기 때문입니다. 방광이나 신장은 무서운 감정, 공포심과 연관되어 있습니다.

생각이나 근심이 많아지면 비장과 위장이 약해지는데 중요한 시험이나 발표를 앞두고 입맛이 떨어지거나 소화가 잘 안 되는 것도 이런 이유입니다.

위의 도표에서 보는 바와 같이 감정 상태가 장 건강에 영향을 주기도 하고 반대로 장 건강이 감정의 흐름을 요동치게도 합니다. 양방향으로 에너지가 오가며 장기와 감정을 하나로 묶어 줍니다. 꾹꾹이 운동법으로 장이 건강해지면 감정을 다스리는 힘도 강해집니다. 심신은 결코 마음 따로 신체 따로 분리되지 않습니다.

꿀잠 그리고
상쾌한 아침

바쁜 생활 패턴에 익숙한 현대인들 중에는 특히나 불면증으로 고생하는 사람이 많습니다. 수면이 부족하면 생산성이 저하되고 질병의 위험이 높아지는데 숙면을 취하기 위해서는 멜라토닌이라는 호르몬이 정상적으로 작동돼야 합니다. 멜라토닌은 수면을 유도하고 자는 동안 손상된 세포를 재생해 신체의 면역력을 높여 줍니다.

우리 몸은 낮에는 세로토닌이 분비되어 활동성을 높이고 밤에는 멜라토닌이 분비되어 잠들기 좋은 상태를 만듭니다. 또 자는 동안 소변이 마려워 잠에서 깨지 않도록 장의 운동을 억제하고 혈압을 낮춰 주기도 합니다.

멜라토닌은 장내 세균이 합성한 물질에서 만들어집니다. 즉 장이 건강해야 멜라토닌이 정상적으로 합성되어 숙면을 취할 수 있습니다. 숙면으로 재충전된 신체는 다시 활력을 얻어 다음 날 아침 상쾌한 하루를 약속합니다.

활기찬 에너지,
행복한 삶

지난 수십 년간 나라 전체가 앞만 보고 숨 가쁘게 달려오면서 우리 개개인은 자신을 돌보고 소중하게 대하는 법을 잊고 살았습니다. 사회와 가족을 위한 헌신을 자양분 삼아 나라는 발전했지만 개인은 소외되고 건강과 행복은 뒷전이 되었습니다.

행복한 삶의 첫째 조건은 건강입니다. 건강한 심신이 뒷받침되어야 삶이 윤택하고 행복해집니다. 활기찬 에너지는 역경을 넘어 인생을 아름답게 가꾸어 주고 의미 있는 삶을 만들어 줍니다.

잃었던 건강 주권과 소중한 삶을 꾹꾹이로 되찾을 수 있기를 바랍니다. 그 과정에서 얻게 될 에너지는 개인을 넘어 사회의 신뢰관계를 회복할 원동력이 될 것입니다.

Day 6.

평생
건강을
약속하는
절대 원칙!

장기에게
휴식을

헬스클럽에서 땀을 뻘뻘 흘리며 운동을 했다면 반드시 푹 쉬고 영양 분을 섭취하는 시간을 가져야 근육이 자라납니다. 조급하게 근육질 몸매를 만들기 위해 몸이 회복하기도 전에 다시 운동기구를 들고 과한 운동을 하면 자칫 관절과 근육에 부상을 입을 수 있습니다. 운동 후 충분히 휴식을 취해야 신체 손상 없이 건강하게 근육이 붙습니다.

　　장기도 마찬가지입니다. 아침부터 저녁까지 쉬지 않고 일을 한 장기도 밤에는 반드시 휴식을 취해야만 합니다. 늦은 회식 자리나 반복되는 야식 등 좋지 않은 식습관은 장이 쉴 기회를 빼앗습니다.

꾹꾹이
건강법

밥이나 빵 같은 탄수화물이 위장에서 소화되는 데는 2시간 안팎, 고기 같은 단백질이나 지방은 대략 4~6시간이 걸립니다. 늦은 시간에 음식을 섭취하면 소화기관은 이를 처리하느라 야근을 해야만 합니다. 어떤 날은 철야를 하기도 합니다. 저녁에 퇴근할 기회를 뺏기고 쉼 없이 초과근무를 하는 날들이 늘어날수록 소화기관은 만성피로에 지쳐 갑니다. 속은 쓰리고 소화불량도 잦아집니다. 심지어 위장 위쪽의 식도 부위가 손상되고 역류성 식도염으로 번지기도 합니다.

제시간에 저녁 식사를 하고 늦은 시간에 음식을 먹는 습관만 고쳐도 장기는 금세 기운을 차립니다. 늦은 저녁 허기가 든다면 미지근한 물 한 잔을 마셔 보세요. 장부가 밤새 온전히 휴식하고 충전할 수 있도록 해 주세요. 장기는 우리가 죽는 마지막 순간까지 함께할 동반자입니다.

덜 먹고
더 움직이기

과거에는 못 먹어서 병에 걸렸다면, 지금 우리는 너무 많이 먹어서 탈이 나는 시대를 살고 있습니다. 하루에 필요한 영양소와 탄수화물을 권장량 이상 과잉 섭취하다 보니 미처 사용되지 못하고 남은 영양분이 인체에 쌓여 각종 질병을 일으킵니다. 비만, 고혈압, 당뇨, 대장암 등 수많은 대사성 질환 모두 많이 먹기만 하고 소모하지 않아서 생기

꾹꾹이
운동법으로
무기력해진
장기에게 활력을,
쉬지 않고
폭주하던
장기에겐 휴식을!

는 병입니다. 게다가 이런 병에 걸리지 않으려고 영양제니 건강 보조 식품을 찾기까지 합니다. 많이 먹어서 생긴 병을 고치겠다고 또다시 많은 양의 보조 식품을 먹는 셈입니다.

과식은 인체에 각종 질병을 일으키고 장기를 힘들게 합니다. 조금 덜 먹고 조금 더 움직이는 습관을 들여 보세요.

오직 나를 위한
건강한 한 끼 식사

1인 가구와 맞벌이 부부의 확대로 집밥 대신 외식을 주로 하는 가정이 많아졌습니다. 외식업과 반조리 식품의 폭발적인 증가는 시간 절약과 편리함을 안겨 준 동시에 먹거리 안전성에 대한 불안감도 높이고 있습니다.

이윤만을 추구하는 소수 일탈 기업의 불법행위는 먹거리에 대한 불신을 가중시킵니다. 유통기한이 한참 지난 냉장·냉동식품을 재활용하거나 생산성을 향상시킨다는 미명하에 과도한 농약과 화학비료로 재배된 농산물을 식당에 공급하기도 합니다. 안전성이 검증되지 않은 GMO 식품, 인스턴트식품에 첨가돼 맛을 더하고 보존 기간을 늘려 주는 수많은 화학 첨가물, 인공 향신료 등은 나와 가족이 먹는 먹거리에 조금만 관심을 기울이면 쉽게 만나게 되는 복병들입니다.

인체는 갖가지 생화학 반응이 일어나는 정밀 공장입니다. 건강하

지 못한 재료로 만들어진 음식이 몸속에 들어가면 해독 과정에서 간에 과도한 부담을 주고 배출하지 못한 노폐물은 신체에 쌓입니다. 쉽게 피곤해지고 면역력이 떨어진 신체는 결국 질병에 취약해집니다.

히포크라테스는 "음식으로 못 고치는 병은 약으로도 못 고친다"고 했습니다. 동양에도 '의식동원醫食同源', '식약동원食藥同源'이라는 표현이 있는데, 이는 먹는 음식이 바로 의술이고 약임을 강조한 말입니다. 우리 선조들 모두 따로 약을 찾기보다는 계절과 환경, 체질 등을 고려하여 평소 먹는 음식으로 건강을 유지했습니다. 여름에 뜨거운 삼계탕을 먹고, 술 마신 다음 날은 콩나물 해장국을, 산모에게는 미역국을 권하는 풍습 모두 여기에서 유래된 것입니다.

건강한 삶은 건강한 먹거리를 섭취하는 데서 출발합니다. 제철에 채취된 신선한 재료를 정성스럽게 조리하여 즐겁게 먹는다면 최고의 보약이 부럽지 않습니다. 자신을 위해 준비하는 건강한 한 끼 식사, 자아를 존중하는 첫걸음입니다.

모든 통증이 사라지는 바른 자세 만들기

길을 걷다 보면 움직이는 동작이나 체형은 제각각 달라도 유독 눈길을 잡아 끄는 이들이 있습니다. 미소 띤 얼굴로 당당히 가슴을 펴고 씩씩하게 걸으며 생기를 내뿜는 사람들입니다. 발걸음은 가볍고 경쾌하

며 곧게 쭉 뻗은 몸매는 맵시가 나고 움직임은 부드럽습니다. 그런가 하면 구부정한 자세에 부자연스러운 걸음걸이, 무표정한 이들도 있습니다.

여러 연구에 따르면 평소 자세나 움직이는 동작을 달리함으로써 몸과 심리 상태를 바꾸는 것이 가능하다고 합니다. 각종 통증에 시달리는 사람들은 축 처진 자세로 걷는 특징이 있는데 행복한 사람들의 걸음걸이와 자세를 흉내 내게 했더니 기분이 좋아지고 통증도 경감되는 효과를 본 것입니다.

두뇌에서 척추를 타고 내려간 신경은 중간중간 장부로 뻗어 나가 생체 신호를 전달합니다. 두뇌와 장부는 척추 신경을 매개로 명령하고 일하고 보고를 받습니다. 만약 체형이 틀어지면 척추 신경이 압력을 받아 눌리게 되고 생체 신호가 명확히 전달되지 못해 두뇌와 장부는 협력하지 못하고 겉돌게 됩니다. 전쟁터에서 지휘부와 일선 전투 부대 사이에 통신선이 끊어지면 큰 혼란이 발생합니다. 두뇌와 장부도 연결망이 훼손되면 제 기능을 상실합니다.

또한 웅크린 자세는 폐와 심장이 들어 있는 흉곽과 위, 소장, 대장 등 장기가 있는 복강의 부피를 줄여 장부를 압박합니다. 좁은 우리에 가둔 소, 닭보다 탁 트인 초원에서 맘껏 활동하고 신선한 공기를 마시며 기른 가축이 질병에도 더 강한 저항력을 갖습니다. 사람의 장기도 제대로 기능하려면 움직일 수 있는 공간이 충분히 확보되어야 합니다. 지금 잠시 등을 구부리고 상체를 접어 보세요. 당장 숨쉬기가 힘들어지고 배가 짓눌리며 뒷목이 당기는 게 느껴질 겁니다. 반대로 허리

구부정한 자세로
스마트폰 보기, 소파에 누워
텔레비전 시청하기 등
평소 자신이 무심결에
반복하고 있는 습관을
유심히 지켜보세요.
통증과 질병의 원인이
무엇인지 금세 발견할 수
있습니다.

를 세우고 가슴을 펴는 순간 조금 전 불편했던 증상들이 바로 사라지며 편안해집니다. 바른 자세를 취하면 몸통 안의 공간이 넓어져 장기들이 활발하게 움직일 수 있게 됩니다.

척추와 골반으로 이루어진 인체 기둥이 뒤틀리면 허리와 목에 디스크가 생기고 이 변형기가 지나면 팔, 다리 관절도 꼬이기 시작합니다. 이는 어깨, 팔꿈치, 손목으로 이어져 오십견, 테니스·골프 엘보우, 손목 터널증후군으로 나타나고, 고관절, 무릎, 발목으로 연결되는 하지에서는 좌골신경통, 무릎 관절염 등의 발생 확률을 높입니다.

구부정한 자세로 스마트폰 보기, 소파에 누워 텔레비전 시청하기 등 평소 자신이 무심결에 반복하고 있는 습관을 유심히 지켜보세요. 통증과 질병의 원인이 무엇인지 금세 발견할 수 있습니다.

굿바이, 스트레스!

자신이 처한 환경에 극심한 압박을 느끼거나 다가올 미래에 대한 불안으로 초조함이 극에 달할 때 스트레스는 처리 가능한 적정 수준을 넘어서게 됩니다. 이는 곧 자율신경계의 부조화를 유발하고 정서적 안정감을 붕괴시킵니다.

통제 불능의 스트레스는 정신 건강을 해치는 가장 큰 위험 요소입니다. 깊고 고요한 아랫배 호흡으로 신체를 이완하고 머릿속에 가

득 찬 잡념들을 조용히 마주해 보세요. 수많은 생각과 감정들이 끊임없이 떠올랐다 가라앉습니다. 바위처럼 흔들림 없이 이를 바라보는 연습을 해 보세요. 마음의 평화를 얻을 수 있습니다. 거센 비바람에도 태산은 그 자리에서 중심을 잡고 요동치지 않습니다.

생각하는 대로
반응하는 몸

우리가 어떤 생각을 하느냐에 따라 몸은 다르게 반응합니다. 즐거운 상상을 하거나 사랑하는 연인을 떠올리면 몸에서 행복호르몬이 분비되어 면역력이 높아집니다. 근심, 불안, 원망하는 마음은 스트레스 호르몬을 분비해 건강을 악화시킵니다.

병은 형벌이 아닙니다. 과거를 돌아보고 삶의 방향을 재설정하라는 내면의 충고입니다. 더 늦기 전에 자신을 좀 더 사랑하고 보살피라는 경종입니다. 막연한 두려움에서 벗어나 병을 받아들이는 관점을 바꾸면 치유 에너지가 회복되고 병을 예방할 수 있는 통찰력도 얻을 수 있습니다. 더 나아가 온몸 가득한 생명에너지를 가족, 이웃과 함께 나눌 수 있습니다.

EPI
LO
GUE

꾹꾹이 셀프 운동법, 스스로를 지키는 최고의 건강보험

중학생 시절, 어느 날 우연히 거울에 비친 제 모습을 보았습니다. 좌우 대칭이 심하게 틀어진 얼굴과 몸, 확연히 다른 양쪽 몸통의 두께……이대로 두면 성인이 되었을 때 덩굴나무처럼 몸이 배배 꼬여 버릴 것 같은 두려움이 엄습했습니다.

어떻게 해야 할지 몰라 혼자 고민하다가 요가를 하면 체형을 바로잡을 수 있다는 천금 같은 정보를 라디오에서 듣게 되었습니다. 80년대 당시만 해도 흔치 않았던 요가수련원을 찾기 위해 전화번호부를 뒤져 힘들게 찾아낸 수련원을 방문했으나 왕복 2시간이 훌쩍 넘는 거리와 비싼 수업료는 어린 나이에 감당할 수 있는 수준이 아니었습니다.

결국 서점에서 요가 관련 서적을 몇 권 산 뒤 이리저리 흉내를 내 봤지만 호흡이나 명상은 도저히 감을 잡을 수가 없었습니다. 평소에는 의식하지 않아도 잘 되던 호흡이 막상 집중하면 숨은 턱턱 막히고 높아진 혈압에 얼굴과 눈은 벌겋게 상기되기 일쑤였습니다. 명상을 해 보려고 눈을 감고 앉으면 숨어 있던 잡념들이 튀어나와 머리는 더 혼란스러워졌습니다. 요가로 체형을 바로잡겠다는 의지는 점차 사그라지게 되었습니다.

이후 저는 사람들이 스스로 건강을 관리하고 심신의 균형을 이룰 수 있는 방법을 찾아 정리하고 전달하는 일에 집중해 왔습니다. 세상 만물의 근본 이치를 찾기 위해 호흡과 명상, 신체를 단련하는 운동법들, 여러 대체의학을 배우고 실천하며 어렴풋이 인체의 원리에 접근할 수 있었습니다. 어린 시절 저의 체험이 심신에 대한 호기심을 탐구하도록 이끌어 준 셈입니다.

다양한 분야의 이론을 하나의 체계로 정립하여 얻은 결론은 바로 몸속 장기들을 잘 다스리고 근골계통을 바로 세우며 호흡과 생각의 힘을 바르게 활용해야 한다는 것이었습니다. 그중에서도 장기는 모든 생체 활동의 뿌리로 그 자체가 바로 생명임을 알게 되었습니다.

우리는 이미 초고령 사회의 문턱에 와 있습니다. 좋든 싫든 백 세 안팎의 나이까지 살게 될 것이고 그때를 미리 준비하지 않으면 안 됩니다. 예전에는 건강의 정의를 단순히 질병이 없거나 아프지 않은 상태 정도로 규정했지만 지금은 사회 활동을 뒷받침할 수 있는 경제력, 지력, 영성 등의 개념으로 확대하여 해석하고 있습니다.

이제 인류의 고민은
"어떻게 하면 건강해질 수 있을까?"가 아니라
"건강한 몸으로 어떤 삶의 가치를 추구하며
살아갈 것인가?"로 진화했습니다.

사회가 세분화되면서 우리는 자신의 몸은 자기 스스로 다스려야 한다는 기본 원칙을 잊게 되었습니다. 국가와 의료계가 아무리 훌륭한 정책과 지원으로 우리의 건강을 지켜 준다 해도 스스로 해야 할 몫마저 방치한다면 건강 백세는 요원한 일이 될 것입니다. 병원 침대와 약 봉지에 의지해 살 것인지 아니면 건강의 주체가 되어 생기 넘치는 천수를 누리며 행복한 삶을 만끽할 것인지는 우리의 선택에 달려 있습니다.

건강한 사람, 아픈 사람, 건강이 염려되는 모든 사람들이 꾹꾹이 운동법으로 삶의 질을 한 단계 끌어올리고 삶의 가치에 대해 질문할 수 있는 건강한 심신을 얻게 되기를 진심으로 바랍니다.

엄마의 따스한 약손처럼,
남이의 사랑스런 꼭꼭이처럼

꼭꼭이 건강법

누워서 하루 5분,
꼭꼭이로 꼭꼭이하세요!

2023년 2월 20일 초판 1쇄 인쇄
2023년 2월 27일 초판 1쇄 발행

지은이 임기홍
펴낸이 여승구
펴낸곳 이루

주소 서울시 마포구 성지5길 5-15 305호 (합정동)
전화 02)333-3953
전자메일 jhpub@naver.com
출판등록 2003년 3월 4일 제 13-811호

이 책을 만드는 데 도움을 주신 분들
일러스트 박윤주
여자모델 한소진
남자모델 최원준
사진 & 동영상 피알스튜디오(010-2380-1668)

꼭꼭이 건강법 체험 수기를 써서 이메일로 보내주세요.
채택된 원고는 소정의 고료를 드립니다.